이제야 쓸 수 있는 이야기

때로는

계란빵

손다니엘

여니

다예

김예성

정다은

김민숙

강성욱

이설미

추천의 말

— 이창현 고유출판사 대표

기록하는 사람들을 보고 있자면, 내면의 단단함이 느껴집니다. 어디서부터 시작해야 할지 모르는 방대한 이야기의 시작점을 잡는 것부터, 어떤 경험과 감정을 담을지에 대한 수많은 선택지를 놓은 채, 기어코 문장을 꺼내기 시작합니다. 그때 나의 상황이 정말 이러했던 것인가, 만약 그것이 부정적인 감정을 불러왔다면, 나의 행동으로 하여금 조금 다를 수는 없었을까 상상을 해봅니다. 감정에 왜곡이 없는지, 내가 선택한 단어가 내가 느낀 감정을 오롯이 잘 표현하는지 수 번 고민합니다. 이 과정에서 모종의 성숙과 단단함을 얻는 듯합니다.

열 개의 서로 다른 이야기는, 자신들의 단단함이 잘 드러난 글이겠습니다. 제가 직접 옆에서 글을 쓰는 것을 지켜보며, 얼마나 많이 고민하고 고쳐 썼는지를 목격했기 때문에 자신 있게 말할 수 있어요. 이 책을 통해서 독자분들은 한 사람이 가지고 있는 이야기뿐만 아니라, 그 사람의 내면을 들여다보는 시간이 되면 좋겠습니다. 그러다, 독자분들도 자신의 내면 속 이야기를 시작하는 계기가 되면 더더욱 좋겠네요.

— 박정원 작가

계속 의심하면서 천천히 씁니다. 너무 많은 걸 알아버렸습니다. 세상에는 멋진 글이 넘친다는 것, 그런 글을 쓰는 사람이 있다는 것, 그에 비하면 나의 글은 한참 초라하다는 것. 그럼에도 쓰고 싶어서 자꾸 징검다리를 두드리는 마음이 됩니다. 신중히 확인하고도 발을 옮기지 못합니다. 저는 이들에게 다른 길을 찾으라고 말합니다. 이미 누군가 만들어놓은 징검다리가 아니라 당신이 안전하다 느껴서 마음껏 딛고 나아갈 수 있는 새로운 길을 상상하고 구현하라는 뜻입니다. 앞서 말한 초라함은 그와 같이 못 써서가 아니라 그만큼의 세계를 발견하지 못해서 발명하지 못해서 느끼는 것이라고 믿습니다. 나만의 언어를 찾지 못해서 찾고 싶어서 지금 주눅 든 이들에게 이 책을 권합니다. 저만 보기 아깝고 애틋했던 용감한 작가들을 소개합니다.

차례

— 일러두기

책 집필에 참여한 작가 대부분은 자신의 글을 처음 세상으로 내보입니다. 출판사는 작가들의 원고에 큰 오탈자와 비문 정도에만 개입하였고, 그 외에는 자신의 문장이 그대로 세상에 나오는 즐거움을 느낄 수 있도록 개입하지 않았습니다.

'괜찮지 않은' 이야기들

어른이 된 나는 타인의 말에 흔들림 없는 단단한 사람이고 싶은데 쉽지 않다. 어떤 현상을 그대로 받아들이기 보다는 내 입장에서 해석을 가미하는데, 꼬임이 제법 많다. 대부분은 유년시절부터 학습 되어온 열등감과 자괴감이 자주 등장한다. 열등감은 사람을 참 치사하고 속좁게 만든다. 자괴감은? 몸피가 제법 큰 나를 아주 작은 먼지처럼 굴게 한다.

그런데 그게 어때서? 한없이 부끄럽고 자꾸만 자신을 곪게 만드는 생각들로부터 벗어나고 싶었다. 한편으로는 그 열등감과 자괴감을 원동력 삼아 조금씩 조금씩 앞으로 나아갈 수 있었다고 생각한다. **또다른 열등감으로 똘똘 뭉쳐진 사람이 되지 않기 위해 쓴다.**

일곱 살의 누드화

일곱 살 때다.

나는 제대로 그림을 배워본 적도 없이 연필과 종이만 있으면 끼적대기 일쑤였다. 그러다 어느 날부턴가 여자의 몸을 그리기 시작했다. 예쁘고 아름다운 모습은 아니었으며 서양화에서 보던 풍만한 모습도 아니었다. 그저 마르고 힘이 없이 연약한, 드러난 젓가슴은 아프리카 여인들처럼 축 늘어진 모습이다. 두 다리 사이에 드러난 성기를 덮고 있는 음모도 빠뜨리지 않고 짧은 선을 여러 번 그어 그렸다. 당시 내 눈에 보인 여자들은 ― 대체로 엄마, 할머니, 학교 선생님 등 ― 모두 마르고 생기없이 지쳐보였다.

"야! 이거 뭐야!!"

그 시절 작은언니, 뒷집 사촌언니, 나와 사촌 그리고 두 살 아래인 동생까지 나이가 고만고만했던 우리는 독수리 오형제 마냥 어울려 다녔다. 여느 날처럼 우리집에서 놀던 사촌언니의 손에 내 그림이 담긴 종이가 팔락대고 있었다. 모든 것이 풍족하지 못해 내 방이 없는 것은 물론 학용품이며 책상 삼아 썼던 밥상도 다 같이 써야했던 그 시절, 나만의 공간이 없었기에 가족도 아닌 사촌마저도 함부로 만질 수 있는 물건 사이에서 발견된 그 누드화는 그렇게 아무렇게나 독수리 형제들에게 공개되었다.

그림이 보여졌을 뿐인데 나는 그림 속 여자처럼 발가벗겨진 듯 너무도 창피했다. 호기심이었을 테다. 남들은 갖지 않을 호기심을 가졌단 이유로 나는 그날 놀림을 받았다. 내 것이니 돌려달라 할 수도 있었지만 얼굴만 붉힐 뿐 사촌언니의 손에서 그것을 낚아채지 못했다.

- 그런 그림을 왜 그려가지고 이런 창피를 당하는지.

아마도 그날 그자리에 있었던 독수리 형제 중 누구도 그 일을 기억하지 못할 만큼 시간이 흐른 뒤에도 나는 오래도록 자책했다. 남의 그림을, 물건을 허락도 없이 아무렇게나 대한 사촌언니의 잘못이 분명한데 그 시절의 나는 나를 탓하는 데 더 익숙했다.

그후 나는 그림을 그리지 않으려고 무던히 애썼다. 초등학교에 입학해서도 수업시간에 필요하지 않은 때는 연필을 쥐고 있지 않으려고 작은 주먹을 꽉 쥔 오른손을 왼손으로 수갑 채우듯 잡고 있었다.

그리고 열한 살이 되던 해, 선생님이 나를 교무실로 불렀다. 앞으로 방과 후에 미술실에 남아 그림을 한 장씩 그리고 집에 가라고 했다. 당시 선생님의 딸은 대학에서 미술을 전공하고 있었는데 주말이 되면 그림을 가르쳐주기 위해 학교 미술실로 왔다. 학원에 갈 수 없었던 시골 학생에 대한 배려였다. 그렇게 2년 정도 선생님의 딸에게 수채화를 배웠다. 미술학원처럼 데생이나 2B, 4B를 비롯한 다양한 연필의 쓰임새 등을 전문적으로 지도하는 것은 아니었지만 그 시간을 통해 일곱 살 때 받았던 그림에 대한 상처는 다소 해소된 것 같다.

내가 다닌 초등학교처럼 옆동네의 초등학교에서도 매번 대회에 나오는 아이가 있었다. 공교롭게 동갑이었는데 그 친구는 거의 매번 1등, 나는 가끔 입상 정도. 그런 우리가 같은 중학교에 진학하면서 실력있는 그 친구가 대표로 미술대회에 출전하게 되었다. 나는 그렇게 자연스레 미술에서 손을 떼게 되었지만, 그림에 대한 두려움은 사그러들었다.

"성기 그리는 게 뭐 어때서. 그냥 그림인데. 그런데 계기가 뭐야?"

"엄마가 날 버리고 떠날 것 같아서 그게 두려워서."

「괜찮아 사랑이야」란 드라마에서는 정신과 닥터인 공효진의 환자 중에 자꾸 사람의 성기만 그리는 한 청년이 나온다. 다들 그것을 부끄러워하며 정신병으로 치부할 때 정신과 닥터의 인정과 공감을 통해 벽화를 그리며 비로소 내면을 치유하는 에피소드가 나온다.

이번 에세이에 자괴감과 부끄러움을 경험한 최초의 기억인 일곱 살, 그 날의 이야기를 써야지 맘먹고 있던 차에 만난 그 스토리에 나는 결국 울고 말았다. 어린 시절 나는 무슨 이유로 누드화를

그리게 되었는지 스스로도 짐작할 수 없다. 다만 그 시절의 나를 좀 특별하게 여기고 보듬어줄 수 있었다면 그리 오랫동안 창피해하고 자책하지 않았을 것 같다. 나의 호기심과 끼적임은 절대 유해한 것이 아니었으므로.

주근깨마저도 두 번째

시골에서 나고 자랐다. 영화 「선생 김봉두」의 배경만큼이나 두메산골은 아니지만 드넓은 들판이 끝이 보이지 않을만큼 펼쳐진 곳이다. 버스 한 대가 하루종일 고작 여덟 차례 오갔다. 마을에서 출발한 버스가 시내를 돌고 오는 두 시간 동안 다른 이동수단은 자전거와 오토바이 뿐. 동네에 트럭이든 승용차든 자가용이 있는 집은 딱 한 집 뿐일 정도였다.

그렇게 작은 고장이다 보니 초등학교 동창들과는 병설유치원에서부터 초등학교를 졸업할 때까지 내리 7년을 한 반으로 지냈다. 작은 조직에도 엄연히 서열은 존재했다. 무슨 이유인지 모르겠으나 저학년 때부터 나는 경옥이의 '다음'인 두 번째가 되어있었다. 그 서열은 졸업할 때까지도 끈끈하게 유지되었다.

우리는 서로 친했다. '김가야', '진가야'라며 초등학생치곤 너무 나이든 호칭을 이름 대신 부르며 우정을 과시할 정도. 쌍둥이처럼 매번 함께 했지만 나는 그 애를 자주 시기하고 질투했음을 인정하지 않을 수 없다.

나는 1남 4녀의 형제 속에서 새 옷을 거의 입어본 적이 없어 헙수룩한 차림일 때가 많았다. 반면 경옥이는 3남 1녀의 고명딸로 매번 말쑥한 새 옷을 입고 다녔다. 행여 다른 친구들이 보기에 내가 그 애의 시녀처럼 비쳐질까 봐 은근히 내내 경계했다.

새 학년이 되었고 담임은 새로 전근오셨다. 그의 눈에도 경옥이는 시골아이스럽지 않게 깨끗하고 야무졌던지 대놓고 편애를 했다. 그러다 어느 날은 이런 말씀을 하셨다.

"경옥이는 얼굴이 하얘서 그런지 주근깨도 포인트가 되는데 너는 누우런 얼굴에 주근깨가 참 못났네."

그렇지 않아도 항상 '경옥이 다음'이라는 열등감을 안고 있던 나에게 그 말은 참 상처가 되었다. '왜 경옥이 다음일까?'하는 의문이 있었다. 그러나 그걸 친구들에게 물어볼 수도 없었고, 그에 대한 서운함을 내색하는 순간 우리의 단짝 관계는 깨질 거라 짐작했다. 그러면 그나마 '다음'이라는 순서에도 미치지 못할 것이 두려웠다.

그러던 중 경옥이는 학교 대표로 뽑혀 어린이 동요대회를 준비하게 되었다. 키가 크고 말쑥한 아이가 노래까지 부른다니 단연 학교에선 스타가 되었다. 나는 이번에도 앞서지 못한 내가 미웠다. 여전히 그런 속마음은 숨긴 채 방과 후 복도에서, 운동장 놀이터에서 꼬박꼬박 그 애의 노래연습이 끝나기를 기다려 같이 하교하곤 했다.

어느 날이었다.

"이거 원고지에 좀 옮겨줄래?"

3학년 때 담임이셨던 김영희 선생님이 나를 불렀다. 내 글씨가 바르고 예쁘니 선생님이 쓰신 동시를 원고지에 써달라는 것이었다. 나는 이유도 모른 채 선생님이 쓰신 글을 빨간 격자칸이 있는 원고지에 반듯반듯 정성들여 옮겨적었다.

"동시라는 건 어려운 게 아니야. 이렇게 쓰고 싶은 말을 짧게 짧게 노래처럼 쓰면 돼."

동시를 원고지에 옮겨쓰는 동안 여러 번 들여다 보면서 글이라는 것을 조금은 알게 된 시간이었다.

며칠 후 내가 무슨 글짓기 대회에서 수상했다는 소식이 들려왔다. 단번에 그때 선생님이 써주신 거라는 것을 예감했다.

내가 다닌 학교는 토요일이면 전교생이 동네 별로 운동장에 모여 교장 선생님의 일장 연설을 들은 후 무리를 지어 집으로 갔다. 가을 날, 동요를 부르는 경옥이와 글을 쓴(옮긴) 내 이름이 같이 불려졌다. 운동장에 놓인 연단에 둘이 함께 올라 교장선생님으로부터 상장을 받아들었다. 내 실력으로 받은 것이 아님에도 그 애와 어깨를 나란히 했다는 뿌듯함에 어깨가 절로 펴졌다.

"정말 축하해!"

약간의 무거운 마음과 기쁜 마음을 동시에 품고 동네 언니오빠들과 어우러져 하교를 하고 있는데 경옥이가 달려와 내게 말했다. 꽤 먼 거리를 한달음에 달려와 턱까지 차오르는 숨을 고르느라 그녀의 등은 불규칙하게 오르내렸다. 여느 날과는 달리 나는 끝내 축하한다는 말을 건네지 못했다.

경옥이와의 단짝은 오래가지 못했다. 중학교에 진학 후 공교롭게 3년 내내 경옥이와 다른 반이 되었는데, 항상 먼저 그 애의 눈치를 봤던 나는 비로소 날개를 편 듯 편하고 활발하게 지냈다. 성적도, 글쓰기도 내가 먼저였고 그래서 점점 두려울 게 없었다.

'봐봐, 내가 너보다 못할 게 없지?'

미세하게 틈이 난 우리 사이에 나는 바지런히 우월감을 채워 넣었고, 이내 오만해졌다.

어른이 되고서야 조금은 알 것 같다. 나에겐 없고 경옥이에게

는 있었던 그것. 꼬이지 않고 사람을 진심으로 대하는 마음, 그렇게 초등학생 시절 내내 친구들의 일순위가 될 수 있었던 듯 하다.

내껀데…

“잘 썼다! 그런데 말야, 너 발표 잘 못하잖아. 목소리도 작고.”

“네? 그렇긴 한데….”

“그래서 말인데 이 원고를 승재에게 주자. 어차피 웅변대회 준비할라고 글짓기대회 연거니까 웅변대회 나가는 사람한테 주는 게 맞지, 괜찮지?”

그때 아니라고 말했어야 한다. 그러나 너무나 당연하게 권유하시는 선생님의 말씀에 반기를 들 수 없었다. 목소리가 작은 게 잘못이 아닌데, 그것이 이유가 되어 내가 쓴 원고를 친구에게 건네줘도 무방하다는 의미는 아닐텐데 말이다.

얼마 후 웅변대회에서 상장을 받아온 그 아이는 운동장 교단에 올라있고, 나는 박수를 치는 학생 무리에 섞여 있었다. 웅변대회니까 내용보단 웅변을 잘해서 받은 거겠지, 그렇게 위안삼았다. 그렇다고 억울한 마음이 떨쳐지진 않았다.

- 말은 왜이리 못해가지고.

억울하고 분한 마음은 돌고 돌아 결국 나 자신에게 향했다. 내가 잘하기만 했어도 친구에게 빼앗길리 없었을 거라는 결론이었다.

얼마 후 그 친구가 전교 회장 선거에 출마한다는 소식을 듣고는 나는 후보로 등록해버리는 무모한 짓을 벌이고 말았다. 오기였다. 수업 시간에 가끔 발표하는 것조차 가슴이 벌렁벌렁 떨려죽겠는데 전교생이 모인 운동장에서 내가 마이크에 대고 공약을 말한다니….

마이크를 통해 전해지는 목소리는 내 것이 아니었고, 그 목소리가 스테레오처럼 울려퍼지며 메아리칠 때마다 내 목소리는 점점 작아졌고 나중에는 거의 울먹이는 수준이 되었다. 처음부터 그 애가 전교 회장이 될 거라고 예상했다. 결과 또한 그랬다. 그저 마지막 발악이라도 해보고 싶었다.

이런 흐름이라면 지금쯤 발표도 잘하고, 말도 잘하는 사람으로 거듭났어야 드라마틱한데. 여전히 사람들의 시선이 나에게 쏠리면 혼자 지레 겁을 먹고 얼굴이 홍시처럼 벌개지면서 목소리가 떨려오기 시작한다.

20년 넘게 해온 직장생활에서도 가장 어려운 건 주간업무 회의시간이다. 홍보팀에서 일하며 수많은 대표이사를 비롯한 임원들, 직원들을 만나고 인터뷰를 할 때는 전혀 떨지 않는다. 오히려 15명 남짓의 부서 사람들이 모인 회의시간은 곤혹스러울 만큼 떨리는 목소리를 주체할 수 없다. 이제는 팀 내에 선배보다 후배들이 더 많은데. 그래서 단단하고 야무진 프로페셔널한 모습을 보여야 하는데 여전히 난감하다.

"저는 바빠서 그런 거 시간이 없어요. 내용도 모르겠고요. 그러니까 시나리오 써주세요."

몇 년전 잠시 홍보팀을 떠나 조직문화 업무를 1년 정도 한 적이 있다. 한 달에 한 번, 대표이사가 주관하는 실적발표, 월례회 행사를 담당할 때다. 전문 아나운서가 행사를 진행했었는데 경영

실적 저조로 회사가 어려워지자 비용 절감 차원에서 사내 임직원을 진행자로 뽑게 되었다. 다른 부서이거나 다른 팀원이 진행자가 되었다면 차라리 나았을 텐데 하필이면 같은 부서에 한 살 어린, 그러나 직급으로는 1년이 빠른 여직원이 선발되었다.

시나리오를 써서 보내달라는 동료의 말은 공손했으나 그 의도는 무례하기 짝이 없었다. 같은 부서라 행사 내용을 모를 리 없으면서도 일부러 내가 직급이 낮은 걸 확인하려 했고, 철저하게 대우받기를 원했다.

한바탕 소란을 벌일 수 있었으나, 나는 참았다. 오히려 남자 파트너의 몫까지 혼자 주고받으며 시나리오를 작성해서 그녀의 손에 넘겼다. 사회를 보는 그녀는 반짝였고 나는 보이지 않는 좌석에 앉아 PPT를 제때 넘겨주는 '판순이'를 했다. 행사 담당자로서 책임이기도 했지만 그 동료에게 싫은 소리를 하고 따지는 것보다 내가 좀 불편하고 말지 하는 생각이었다. 세월이 흘러도 지난날의 못남은 여전한 나다.

흑화(黑化)

올해 초의 일이다. 정규 승격 발표를 며칠 앞둔 어느 아침, 알람소리에 눈을 뜬 순간 나는 픽 웃고 말았다. 꿈은 너무나 선명했고, 왜 그런 꿈을 꿨는지 속사정을 알기에 그 순간 부끄러움이 물밀듯 몰려왔다.

꿈에서는 어릴 적 우리집에 이모삼촌 등 친척들이 다 모였던 때처럼 와글와글한 분위기였다. 그 와중에 엄마와 이모는 젊은 시절의 얼굴인데, 나와 이모 딸인 사촌은 회사에 다니며 애엄마인 지금의 모습이었다.

"엄마, 저 부장됐어요!"

꿈 속에서의 나는 내가 낼 수 있는 가장 큰 목소리로 그 소식을 알리면서 시선은 이모에게로 향해있었다. '이모, 보셨죠? 제가 이런 사람이에요!' 마치 어두컴컴한 연극 무대 위에서 나와 이모에게만 핀조명이 비춰진 듯 의기양양한 눈빛의 나와 당황한 이모만이 보였다.

나에게는 동갑내기 사촌이 세 명 있다.

뒷집 사는 작은아빠 아들이자 어린 시절 늘 함께 했던 독수리 오형제의 멤버, (커서야 성남인 걸 알았지만)서울 사시는 고모의 아들, 그리고 김포공항 근처에 사시는 이모의 딸.

채 다섯 살이 되기 전부터 귓병을 심하게 앓았던 나는 농사 일이 없는 겨울이 되면 엄마를 따라 서울로 올라가 이비인후과 치료를 받았다. 당시엔 전국의료보험이 적용되기 전이라 서울에서는 지역의료보험으로는 혜택을 받을 수 없었다. 때문에 나는 매번 이모 딸인 사촌의 이름을 빌렸고 치료 기간 동안엔 숙식도 이모댁에서 해야 했다. 새캄새캄하고 촌스러운 나와는 달리 반으로 갈라 묶은 사촌의 머리엔 항상 리본핀이 있었고 어느 해에는 꼬불꼬불한 파마스타일이기도 했다.

서울깍쟁이, 내가 생각한 사촌의 이미지다. 동갑이지만 지나치게 거리를 두고 매사에 깐깐하게 구는 사촌과는 좀처럼 친해질 수 없었다. 나는 잘못한 일도 없으면서 공연히 사촌의 눈치를 보곤 했는데, 나로 인해 혼자 쓰던 방을 같이 생활했어야 하니 단 며칠이라도 불편함을 준 것에 대한 미안함이었다.

초등학교 고학년이 되어서는 겨울방학이라도 사촌은 늘상 학원이며 교회에 나가기 바빴고, 나는 사촌이 던져두고 나간 피아노 학원가방을 조심스레 들어 책상 옆에 가지런히 두었다. 그렇게 우리의 대화는 더욱 줄었다.

"엄마! 내가 병원에 간 적이 없는데 약봉투에 왜 내이름이 써 있어!"

내가 병원에 가기 위해 서울에 온 것도, 그러는 동안에는 사촌의 이름을 빌려쓴다는 것도 진작에 알고 있지만 사촌은 꼭꼭 한 번씩 그 사실을 상기시켜 줬다. 앙칼진 목소리로 들으란 듯 크게 소리지르면 이모가 그러지 말라며 조심스레 나무랐다.

"어차피 못 들을텐데."

가슴을 후벼파는 그런 얘긴 왜그리도 잘 들리던지. 나는 이명과 중이염 등을 앓았을 뿐 청각에 장애가 있는 건 아니었다.

초등학교를 졸업하던 해에는 엄마에게 일이 있어 외할머니를 따라 이모네 집에 갔다. 사촌의 졸업식 날짜는 내가 다닌 학교보다 늦었다. 덕분에 도시 학교의 졸업식을 구경할 수 있는 기회가 생겼는데, 떠나는 6학년과 보내는 5학년 학생들, 학부모, 그리고 교사들이 다 모여도 강당의 절반이 비었던 모교와는 달리 사촌이 다니는 학교의 졸업식은 대단했다. 학교 건물은 여러 동에 사오층은 되어 보일 정도로 컸고, 그 안을 많은 학생들이 빽빽하게 차고도 다 수용하지 못해 오전반과 오후반으로 나눠 수업을 한다고 했다. 때문에 졸업식은 각 반으로 송출되는 텔레비전을 통해 진행되었다. 학부모들은 복도에서 까치발을 해가며 기웃거렸고, 키가 작은 나는 몇번 기웃대다가 포기하고 말았지만 그런 졸업식은 나에게 문화충격으로 다가왔다.

그리고 그 날이었다.

졸업식을 마치고 이모네 가족과 함께 경양식 식당에 가서 밥을 먹게 되었다. 동그랗고 하얀 접시 위에 두툼한 튀김옷을 입은 돈까스가 정갈하게 놓였고 그 위에 갈색 소스가 멋스럽게 뿌려졌다. 돈까스 곁으로 마요네즈로 버물러진 마카로니와 옥수수알이 보이고, 동그랗게 모양을 낸 쌀밥, 양상추와 양배추가 섞인 샐러드에 하얀 소스를 얹은 사이드 메뉴들이 다닥다닥 배열된 음식이었다. 다소 조도가 낮아 한낮에도 촛불을 켜둔 경양식 식당의 분위기와 처음 맛볼 맛깔스런 음식을 앞에 두고 설렌 나와 달리 사촌은 내내 불퉁불퉁했다. 이모는 그런 사촌의 눈치를 살피느라 내내 좌불안석이었다.

"너도 올해 졸업했지? 졸업 축하한다."

택시기사인 이모부의 미소는 온화하셨다. 냉랭한 분위기를 바꿔보려고 내게 이것저것 질문도 하셨다. 그 틈을 타 외할머니는 시골서 온 내가 주눅들지 않도록, 동생인 이모보다 형편이 어려운 엄마가 자식농사를 잘 지었다고 대변하고 싶으셨던 듯 한 마디를 하셨다.

"졸업식에서 상도 받고 장학금도 받았어. 아주 대단하지."

한껏 고양된 외할머니 목소리 위로 다소 신경질적인 이모의 목소리가 덮혔다.

"엄마, 그런 소리 마요! 은서가 이번에 장학금 받는 거였는데 10월에 전학온 애한테 밀려서 그 장학금을 뺏겼잖아. 예전 학교서 못받을 거 같으니까 부랴부랴 전학온거라는데 우리 은서가 얼마나 원통해? 걔네 학교는 짝잖아. 졸업생이 오십 명은 되니? 그렇게 코딱지만한 학교에서 상장 하나 못받으면 그게 바보지."

불과 열세 살이었지만 나는 알았다. 갑자기 나타난 다른 애에 밀려 제것인 줄 알았던 상을 놓친 딸의 심정을 헤아려 위로의 뜻으로 하신 말씀이라는 걸 말이다. 단지 상심한 딸만을 생각하느라 동갑내기 조카를 깎아내리는 배려깊지 못한 표현을 했을 뿐이라는 것도.

그렇게 이해는 하면서도 어쩐지 그날 나는 너무너무나 창피했다. 인프라가 뒤쳐지고 학생 수도 코딱지만한, 하다못해 이모가 말씀하신 오십 명은 초등학교 6년 내내 한번도 없었던 시골에서 뭔가를 잘한다고 말하는 건 자랑이나 축하받을 일이 아니라 수치스러운 일이구나. 나고 자란 고향이 그토록 부끄러울 수 없었다.

나는 잘 하기로 맘먹었다. '맘먹었다'는 표현으로는 부족하다. 처음 마주하는 음식의 맛도 제대로 음미하지 못한 채 당혹스러움과 부끄러움 덩어리를 씹어넘기느라 바빴던 그날을 오래도록, 그렇게 잊지 않고 기억하기로 했다. 만화나 영화에서 보던 것처럼 갑자기 불타오르며 외형이 변하는 일은 일어나지는 않았지만, 마음은 이미 시커멓게 불타올랐다.

중학교, 고등학교까진 고향에서 더 살아야 할테니 같은 리그에서 경쟁할 대학 때부터 사촌을 밟아줄 생각을 했다. 더 좋은 대학에 가야지, 더 좋은 곳에 취직해야지, 더 좋은 사람 만나 결혼하고 더 좋은 곳에 살아야지. 잊었다 싶으면서도 중요한 터닝포인트, 혹은 선택의 순간에 내 무의식은 매번 그날의 기억을 끄집어냈다. 그래서 몇번은 내가 원하는 것이 아니라 누가 봐도 괜찮은 것에 손을 뻗었고, 몇번은 그렇게 간 길이 영 체질에 맞지 않아 그만 두기도 했다.

지금 회사도 그렇다. 부모님의 어깨가 펴지시는 게 보이고 나를 치켜세워주는 친구들을 보며, 그게 내가 아닌 그 기업을 향한 찬사라는 걸 알면서도 종종 내 것으로 착각하려 든다. 아직은 명함이 가진 힘을 내려놓기가 쉽지 않다.

이모는 오래 전 여러 차례 뇌종양 수술을 받으시고 지금은 혼자서는 생활할 수 없는 몸이 되셨다. 이모를 마지막으로 뵌 것은 사촌 동생의 결혼식에서였다. 식사하시는 이모 곁에 사촌이 붙어 앉아 수발을 들고 있었다. 나보다 먼저 결혼해서 두 명의 딸을 낳았던 사촌은 꽤 고단한 시집살이를 하며 산다고 들었다. 사촌의 시모는 때때로 아픈 이모를 들먹이며 가끔 들여다보는 것에도 눈치를 준다는 거다. 게다가 아들이 귀한 집이라 반드시 아들을 낳아야 하는 사촌은 셋째를 임신중이었다.

나는 막 돌이 지난 아이를 품에 안고 이모와 사촌이 있는 테이블로 다가가 인사를 했다. 당당하게 잘 사는 멋진 어른이 되면 그날의 이모께 어떻게 인사를 할까 고민한 적이 있다. 그러나 이제 이모는 나를 알아보시지도 못하신다. 내가 가진 열등감 덩어리 중 이모의 그 독한 말이 한 몫했음은 부인하지 않겠다. 그 열등감을 안고 처음엔 사촌에게, 나중엔 누구에게도 뒤처지지 않으려고 열심히 살았다. 그게 비록 내 삶에 찰라였을지언정 살면서 내내 무의식 깊이 새겨져 불을 당기는 부싯돌이 되었다.

"시댁서 아들 바란다고 하던데 셋째까지도 딸이라 어쩌니."

그날 나는 위로랍시고 결국 그 말을 내뱉고야 말았다. 그 말은 사촌에게 비수처럼 꽂혔을 테다. 작정한 건 분명 아닌데 어릴 적부터 불편했던 사촌에게 한 소심한 복수였으리라. 그런데 정작 시원하지가 않다. 오히려 내내 내 입에서 나간 그 말을 오래도록 되새김질 한다. 이번엔 내가 사촌의 가슴에 영영 지우지 못할 생채기를 낸 것 같다.

그 후로 십 년 남짓 사촌도, 이모도 뵌 적이 없다. 외아들인 남편과 결혼한 나는 두 명의 딸을 낳아 키우고 있다. 친정 부모님

을 비롯한 어르신들이 아들은 있어야지 않느냐 말할 때, 사촌 동생의 결혼식날 내가 했던 그 말이 자꾸만 생각난다. 내가 뱉은 말은 어떤 형태로든 다시 돌아오게 되는 모양이다.

굶어죽기 딱 좋은 작가

초등학생 시절 글짓기 대회를 몇 번 나간 것을 계기로 중학교, 고등학교에서도 글을 썼고, 일찌감치 '작가', '소설가'라는 꿈을 품게 되었다. 특출하게 공부를 잘한 것은 아니라서 성적으로 이름 불릴 일은 없었고 그나마 글짓기 대회로 학창시절 근근히 상장을 받았다.

문제는 대학입시를 앞둔 고등학생 때다. 1,2학년 때는 글쓰는 나를 아무도 나무라지 않아 특히 시험 기간에는 학교 도서관으로 자주 숨어들었다. 그렇게 찾아든 도서관에는 종종 무슨무슨 글짓기대회, 문학공모전 같은 내용을 담은 포스터가 붙여져 있었다.

'그래, 저거다!'

점점 고등학생에게는 기회가 없는 글짓기대회 대신 글을 써서 제출하는 공모전에 도전해보기로 했다.

그리고 고3이 되었다. 담임은 영어선생님. 거무죽죽한 얼굴을 하고 늘상 입술 한쪽 끝을 올리셨고 그때마다 짭짭 입소리를 냈다. 뚜렷한 쌍거풀이 진 눈은 컸고 학생들을 혼내킬 때는 충분히 위압적이었다.

"중요한 건 영어와 수학. 너넨 이미 수학포기니 영어에 올인해라!"

왜 '국영수'가 아닌지는 "한국 사람이 국어도 못하면 사람이냐"라고 응수하셨던 분이다. 그런 분이라 더이상의 문예대회 출전은 입 밖에도 꺼낼 수 없었기에 공모전에 집중했다. 1학기가 끝날 무렵 서너 군데 대학에서 주최하는 공모전에 입상하면서 수학능력시험에서 어느 정도의 점수만 취득하면 합격과 동시에 4년간 장학생이 되는 보장도 얻었다. 대학 진학을 위한 구체적인 계획이 없었던 나에게 단지 입시 준비로 문예대회를 나가지 못해 해본 공모전이 오히려 대학의 길을 열어주는 아이러니한 상황이었다.

2학기가 시작되었고 한창 수능 백일주로 떠들썩했던 때도 지나 아침저녁으로 다소 서늘해지기 시작했다. 중간고사를 얼마 앞둔 우리는 야간자율학습을 하며 공부하는 이, 공부하는 것처럼 앉아있지만 라디오방송을 듣는 이, 아예 대놓고 자는 이로 다양했다. 나는 흰 종이 위에 열심히 뭔가를 썼다. 얼핏 보면 누구보다 열심히 공부하는 모습으로 비춰졌지만 나는 문제집 하나 풀지 않고 9월말까지 마감하는 공모전을 준비하고 있었다.

컴퓨터, 워드, 한글. 이런 걸 대학에 가서야 처음 써본 나는 고3인 그때도 연습장 한 권에 원고지 70~80매 가량의 글을 연필로 꾹꾹 눌러썼다. 빨간펜 선생님도 내 몫. 연필로 쓴 초안 위로 빨간펜으로 죽죽 그어 수정을 했고 원고지에 정성스레 옮겨 쓰면서 마지막으로 다듬었다. 그러니 그 노트는 둘도 없는 소중한 자산이었다.

지익!

빠르게 내 앞에서 빠져나가는 연습장 위로 연필 끝에서 심이 길게 그어졌다. 달아나는 연습장 쪽으로 빠르게 눈길을 돌렸는데 그것은 담임의 손에 들려져 있었다. 그는 학생상담실로 오라는 말을 남기고 교실을 나갔다. 내 연습장은 그의 옆구리에 아무렇게

나 꽂아져있었다. 일순간 교실은 정막에 휩싸였고, 잠을 자던 아이들도 정자세로 앉아 공부를 하고 있었다. 고3 담임들은 야간자율학습시간에 돌아가며 당번을 하셨는데 그날이 우리 담임이었던 거다.

조심스레 상담실 문을 열고 들어가자 담임은 한쪽 다리를 꼬고 소파 위에 앉아 있었다. 그의 손가락 끝에는 이미 불이 붙은 채 연기를 피워올리는 담배가 끼워져 있었다. 가벼운 목례 후 아무말도 못하고 곡선을 그리며 피워오르는 담배연기만 바라봤다.

“내가 경고했지? 쓰리아웃. 할 말 있어?”

담임은 학기 초에 우리반을 대상으로 공부 외엔 아무것도 허락하지 않겠다고 엄포를 놓으셨다. 그리고 혼자 준비한 공모전에서 수상을 했을 때도 축하한다, 잘한다는 말을 일절 하지 않으셨다. 오히려 공모전 준비를 하던 중 쓰고있던 원고를 두 번 들켜 혼이 났었다.

“쓰려거든 혼자 밤에 쓰던지, 주말에 쓰던지 해.”

쓰리아웃. 세 번째 걸리면 진짜 가만두지 않겠다는 말로 상황은 종료됐고, 그 세 번째가 되어버린 거다. 초안이지만 거의 마무리 단계에 이른 원고였다.

- 어찌한담, 크게 혼나더라도 설마 연습장을 안주진 않겠지.

- 앞으론 기숙사 도서관에서만 수정작업해야겠다.

이런 생각을 하며 고개를 떨구고 있는데, 담배를 다 피우고 재떨이에 담배를 비벼끄는 움직임이 느껴졌다. 이제 어떤 처벌을 내리시겠지 하며 고개를 드는데, 담임은 곧장 재떨이 옆에 놓인 라이터를 들어 부싯돌을 당겼다. 서슬퍼렇게 솟아오른 라이터 불은 사정없이 연습장 끝에 들러붙어 점점 몸집을 키워나갔다.

처음엔 겁만 주려던 거겠지 싶었는데, 속절없이 타들어가는 연습장에 입술이 바싹바싹 탔다.

"선생님, 다시는 안그럴게요. 이번에만 돌려주시면…."

"이번에 돌려주면 또 쓰겠지. 그래서 미련 안생기게 다 태워 버리는 게 맞아."

"선생니임."

"내가 말했지, 이런 건 수능 끝나고 하고싶은 만큼 하라고."

점점 까만 재로 변해가는 연습장을, 그러나 차마 그의 손에서 낚아챌 용기도 없는 나는 속절없이 바라보기만 했다. 까만 재로 변해가며 글씨 자국만 보여졌다가 쓰레기통에 쳐박히는 순간에서야 나는 큰 숨이 쉬어졌다. 이미 경고를 줬던 담임, 그걸 어긴 나였으니 잘못은 나에게 있다. 그렇지만 내 꿈은 명확했고 분명했다. 그게 단지 수능에서의 좋은 성적이 아니었을 뿐이었다.

뾰로통하게 2학기를 보냈다. 공부도 하지 않았다. 담임은 잊을 만하면 그 일을 꺼내 아이들에게 협박용 에피소드로 써먹었다. 나는 말만 하는 선생이 아니다, 행동으로 옮기니 누구라도 쓰리아웃 당할 수 있다는 내용이었다.

열심히 해도 어려운 공부를 애초에 잘 하지 않았으니 수능시험 결과는 기대하지도 않았다. 글 쓰는 게 좋으니 그저 글을 쓸 수 있는 학과면 됐다. 그렇지만 더이상 지방에 사는 건 싫었다. 그래서 서울이 아닌 전국 여기저기서 받아든 장학증서를 포기하기로 했다.

"선생님, 도장 좀 찍어주세요."

내가 지원하고자 하는 학교의 원서엔 담임의 직인이 필요했다. 그는 역시나 호락호락하지 않았다. 갈 수 있는 4년제 대학을 두고 왜 2년제를 선택하느냐는 거였다. 3학년 내내 글쓰는 걸 나무라더니, 글쓰는 것으로 취득해놓은 장학증서를 사용하라는 것이었다.

담임은 교무주임이기도 해서 대학 입학 합격율이 중요했다. 그 합격율은 점점 사람이 빠져나가 학생수가 적은 고장의 사립학교에서 다음 입학생들을 유치하기 좋은 수치였다. 서울에 있는 4년제 대학, 전국 4년제 대학, 취직하기 좋은 대학 순으로 수치를 뽑아 학교 홍보에 써먹었는데 내가 가려는 학교는 서울에 있는 걸 빼고는 홍보할 만한 학교가 아니었다.

원서 마감을 하루 앞두고 나는 마음이 급했다. 거의 끝나가는 원서 접수에 학교도 조용해졌다. 그제야 원서를 들고 학교에 오는 애들은 학교에서 내놓은, 문제아라 불리는 수준의 아이들이었고 그 안에 나도 껴있었다.

"안된다고! 네가 4년제 안썼으니까 재수해서 딴 데 가! 글 따위 써서 뭐한다고! 야! 그거 멋져보이지? 글 써서 먹고 사는 사람이 몇이나 될 것 같아? 입에 풀칠이나 할 것 같아? 굶어죽기 딱 좋지!"

담임은 이번에도 직인을 찍어주지 않고 내가 품고 있던 꿈을 자근자근 짓밟았다. 그리고 그가 가진 특유의 표정, 한쪽 입술 끝을 말아올리며 쩝 입맛다시는 소리를 냈다. 선명하게 쌍꺼풀이 진 눈을 부라리는 것도 잊지 않으셨다.

그는 상담실 문을 열고 나가고, 빈 소파 앞 테이블엔 아무렇게나 짓이겨진 담배꽁초들이 수북하게 쌓인 재떨이가 놓여있었다. 개구리알처럼 알알이 모인 거품을 낸 침도 섞였다.

그 해 여름 내 글이 써진 연습장이 불태워졌던 상담실에서 나는 또 수모를 받아내고 있었다. 글을 쓴다는 게, 꿈을 품는다는 게 죄인가? 왜 응원해주지 못하지? 그렇지만 한 마디도 똑부러지게 따져보지 못한 나다.

굶어죽든말든, 여기까지 생각이 들자 내 두 다리는 번쩍 몸을 일으켰다. 아직 채 닫히지 않은 상담실 문을 열고 나갔다. 담임은 뒷짐을 진 채 우리를 다스렸던 매를 까딱까닥대며 복도를 걷고 계셨다.

"좆도 시바라쿠데스네, 잘 먹고 잘 살아라!"

내가 낼 수 있는 가장 큰 목소리였다. 얼마나 심장이 빠르게 뛰던지 심장마비가 올 뻔 했다. 앞에서는 차마 하지 못한 그 욕을 겨우 뒷모습에 대고 하고 도망치듯 나오면서도 나는 3층 상담실에서 내려오는 계단에서 몇번을 주저앉아 과호흡을 처리해야 했다.

그 욕은 1,2학년 때 일본어를 처음 배운 반 아이들이 욕설과 비슷한 어감의 일본어를 조합해 만든 우리끼리의 욕이었다. 소심해서 한번도 입 밖으로 내뱉은 적도 없으면서 나는 내내 마음에 그 욕을 품었었다. 연습장이 담임의 손끝에서 불타오르는 순간에도 굵은 눈물을 흘렸을 뿐, 그 말을 목구멍 끝에서 끌어올리지 못했던 나는 기어이 그 말을 내뱉고서야 졸업을 하게 됐다. 물론 졸업식은 참석하지 못했다. 그래도 다행이다, 그 욕설이 가닿은 곳이 담임이니 말이다.

당시 다른 반 담임이었던, 1학년 때 문학 과목을 가르쳤던 선생님을 찾아가 사정을 말하고 원서에 도장을 찍었다. 물론 담임에게 욕했다는 말은 쏙 빼고서 말이다. 그 선생님은 자기 반 아이들도 있었고, 무엇보다 선생님들 간 정확한 구역을 넘어서야 하는 일이라 어려웠을 텐데도 해주셨다. 결국 나는 원하는 대학, 학과에 입학했다. 합격하는 순간 반드시 등단해서 유명한 작가가 되리라, 내 책을 트럭 가득 싸들고 학교로 가서 보란듯이 도서관에 기부하리라 했었다.

결과는? 나는 아직도 작가를 꿈꾸고 있다. 아직 꿈을 이루지 못했다는 의미다. 그러는 동안 담임은 모교의 교장이 되어 더 떵떵거리신다. 사회인이 된 후 문학 선생님과 과학 선생님을 뵈러

학교를 찾아갔을 때, 그는 나의 담임이었다는 사실도 한참이나 지나 학교생활기록부를 찾아보고서야 알 만큼 그의 안중에는 나란 사람은 없었다. 힘 빠지는 순간이었다. 나는 왜그리 오래도록 저런 사람을 마음에 품고 살았던가.

후에 소설을 쓰게 되면 세상 가장 나쁜 교사로, 학생들을 대상으로 말도 안되는 언어·신체 폭력을 쓰는 나쁜 교사를 등장시킬 때 꼭 그 이미지를 갖다 쓸거라고 벼르고 있다.

원서 사건으로 인해 문학 선생님과는 인연을 계속해서 맺게 되었다. 작년에 정년퇴임하셔서 서울로 올라오신 선생님과는 아주 가끔이지만 소주잔을 기울일 수 있는 정도의 사이.

"글은 쓰냐."

매년 신춘문예 철이 되면 무덤덤한 듯 조심스레 물으시는 선생님은, 어느 날 내가 원서 사건을 말씀드리니 그때서야 기억이 나신 모양이다.

"이상하다 했다. 내가 너 담임도 아니었는데 우리가 무슨 인연이었나 했더니 그런 일이 있었구나."

곧 악랄하고 못난 사람의 캐릭터는 고3시절 담임 선생이 될거라 호기롭게 말씀드렸다. 소주잔을 들며 싱겁게 웃던 문학 선생님.

"허허, 그래라. 그런 마음을 품어서라도 네가 가진 꿈을 놓지 마라."

에끼 이녀석! 못났다 혼내키실 줄 알았는데.

허세 떨다

수업도, 과제도 모두 글쓰기와 책 읽기인 대학에 입학만 하면, 그렇게 판만 벌리면 원없이 글 속에 파묻혀 살 줄 알았다. 꽤 유명한 교수님과 동문들로 평판이 난 학교에 다니면서 마치 내가 그 평판의 주인공인 마냥 나날이 들떴었다.

그런데 이런. 대한민국의 글 잘 쓰는 사람과 문학 좀 한다는 사람은 그 곳에 다 모인 것인지 다들 문학에 대한 열기가 뜨거웠다. 그저 교과서에 나온 몇몇 소설, 도서관에 숨어들어 읽었던 몇 권의 책으로는 어디 명함도 내밀 수준이 아니었다. 학창시절 몇몇 문예공모전을 통해 모은 적지않은 장학금이 든 통장과 그 학교 합격증만으로도 이미 '꽤 잘 쓰는' 사람일 거라 자부했는데 입학하던 해의 4월이 채 되기도 전에 그 생각은 와장창 깨져버렸다.

처음 들어보는 작가의 이름을 줄줄 읊어대는 사람들, 비평이라는 명목으로 같은 반 학우의 시와 소설을 거침없이 칼질해대는 학우, 수업이 끝나고도 이어지는 문학에 대한 열정과 설전. 같은 학번이지만 다니던 대학이나 직장을 포기하고 가족의 지원을 하나도 바랄 수 없는 형편에 놓인 언니오빠 학우들의 글은 그만한 열정을 담아서인지 학문적이고도 반짝였다. 그런 학우들이 쓴 글을 한번 읽고는 단번에 이해하기가 쉽지 않았다. 과연 한글로 쓰여진 문장인가 싶게 '꽤 있어 보이는' 글이라 여러 번 반복해서 읽고 고민한 후에야 겨우 이해할 수 있었고, 수업 중 말할 수 있는 내용을 그나마 정리할 수 있었다. 그렇게 겨우겨우 수업에 들어갔는데 합평에 참여하는 학우들의 비평은 또 얼마나 고급지고 날카로운지, 사용하는 언어조차 이해하기 버거웠다.

'이걸 다들 이해하는구나, 나만 이리도 이해를 못하네.'

내 글은 한없이 단조롭고 비루해보였다. 민낯이 그대로 드러난 글은 전개와 결론을 쉽게 유추할 수 있어 긴장감이라고는 좀처럼 찾아볼 수 없었다. 어느덧 '나도 저 나이가 되면 저렇게 유식해질까? 글을 잘 쓸까?' 적당히 나이들기만을 바라게 되었다.

점점 글을 쓴다, 글을 쓰고 싶다는 말을 할 수 없게 되었다. 생활비를 위한 아르바이트에 더 많은 시간을 쏟았고, 가끔은 사람들과 어울려 밤늦도록 술을 마셨다. 2학기가 되면서는 꼭 필수로 제출해야 하는 글 외에는 한 줄도 쓸 수 없게 되었다. 다음 해에도 마찬가지. 아예 대놓고 다른 과의 수업을 신청해 기웃거리기 시작했다. 점차 문학에 대한 담론도, 소설을 쓰는 것도 쓰잘머리 없다고 여겨지며 쓰는 게 좋았던 나는, 점점 쓰는 게 고역으로 여겨졌다.

키가 작고 왜소한 친구가 있었다. 평소에도 어리게 보이는 것에 대한 콤플렉스가 있어 화장을 진하게 하고, 언니오빠들과 어울려 담배를 피워물기도 했다.

"야, 겉담배 피지 마, 돈 아까워."

다들 고만고만한 형편인 학생이라 한 끼 밥에도 돈을 생각하기 마련인데, 그 친구는 꽤 부유한 생활을 했다. 아버지가 조폐공사를 다닌다고 스스로 밝혔는데 책 사는 돈 따로, 차비 따로, 식비 따로 하고도 용돈이 별개였다. 넉살 좋은 동기들이 그 애 곁에 머물며 밥을 얻어먹었고, 간간히 술값도 계산하는 그 친구의 곁에는 늘 사람들이 있었다. 그것의 대가인 마냥 그 친구의 작품은 곧잘 학우들 사이에 오르내렸다.

"세정이가 소설을 참 잘 써."

"지난 번에 쓴 시도 좋더라."

암만 생각해도 내 글과 별반 다르지 않은 것 같은데 학우들은 입을 모아 칭찬을 했다.

사람들과 어울리면 더치페이해야 하는 술값도 부담이 되었고, 한두 사람 같이 다녀도 내가 밥 한번 산다는 말을 하기엔 더욱 부담스러운 주머니 형편이라 자발적 왕따를 선택한 나는, 그저 '밥값의 힘'으로 평가절하했다.

소설창작 시간.

그날은 그 친구의 소설 한 편을 모두가 합평하는 날이었는데 다른 학우의 입을 통해 읽혀지기 시작한 글은 첫 마디부터 끝날 때까지 거의 욕설로 이뤄졌다. 욕도 일상에서 들어봄직한 것도 있지만, 태어나 처음 듣는 것들이 대부분이었다.

욕에 놀란 건지, 아이 같은 친구가 그런 글을 썼다는데 놀란 것인지 다들 어안이 벙해서 수업이 끝났다. 수업이 끝난 후 언니 오빠들은 "세정아, 너 어떻게 욕을 그렇게도 찰지게 하냐? 진짜 놀랐다야."하며 다들 한마디씩 보탰다. 그 친구는 한껏 의기양양해서 평소에도 얼마든지 할 수 있지만 이미지 관리하는 것이라 대답했다.

그 모습을 보면서 내 가슴이 얼마나 뛰던지…. 그날은 아르바이트도 하지 않고 집으로 곧장 갔다. 그리고 고등학생 시절 공모전 때 수상했던 한 대학의 시상식에서 학생들의 졸업작품집이라며 챙겨준 두꺼운 책을 찾아 좌라락 넘겼다.

이쯤이었을텐데 할 때쯤 발견한 소설, 내 기억은 틀리지 않았다. 그 책을 받아들고 거의 다 읽다시피 했는데, 그 중 세상에 이리도 다양한 욕이 있나 싶기도 하고, 이런 것도 소설이 되나 싶어서 페이지 한 귀퉁이를 접어둔 것이었다. 아무리 비슷한 생각을 했다고 하더라도 흔하지 않은 욕을 그렇게 토씨 하나 안틀리고 쓸 수는 없었다. 그냥 베꼈다고 할 수 밖에 없는 글이었다.

대전이 고향인 그 친구는 같은 지역의 대학교에서 발행한 그 책을 어떤 경로인지 모르겠지만 받았던 것 같고, 소설창작 시간에 그 중 가장 센 것을 베껴쓴 것 같았다. 졸업작품집이기도 해서 당연히 아무도 모르겠지 하는 마음이겠지만 하필 내가 읽었었고 기억하고 있었다.

"그렇게 잘난 척, 있는 척 하더니."

의심이 확신이 되는 순간 통쾌한 감정이 샘솟았다. 하지만 나는 끝내 아는 척은 하지 않았다. 글을 쓰겠다고 이 학교, 이 과에 온 그 애 역시 나처럼 글에 대한 열등감이 있었으리라 생각하니 오히려 동질감 마저 생겼다.

이후 언니오빠 틈새에 끼어 담배를 피우고 침을 뱉고, 간간히 말에 욕설을 섞는 모습을 볼 때면 '너도 쎄보이고 싶어서 허세 떠는구나'. 애쓰는 모습이 오히려 안쓰럽게 느껴졌다.

허세라면 나도 한 허세했다. 한때 사전을 펼쳐두고 찾아가며 읽어야 할 정도로 생소하고 품격있는 단어로 표현된 문장들이 잘 쓰는 거구나 착각하며 그렇게 흉내내려고 노력했었다. 읽는 이는 물론이거니와 쓰는 나조차도 이해하기 힘들 정도의 과한 표현들.

하지만 이만큼 시간이 흐르고 보니 진솔하게 마음을 두드리는

문장이야말로 으뜸이라는 것을 깨닫는다. 또한 나이가 들면 그만큼 내공이 쌓여 글을 잘 쓸거라는 바람도 요행일 뿐이었다는 걸. 공부나 연습없이 그저 글을 잘 쓰는 사람은 몇이나 될까.

작가, 소설가.

그 꿈은 삼십 여년이 지난 지금도 현재진행형이다. 글을 담기엔 너무나 많은 열등감과 자괴감이 있어 새로운 생각이 비집고 들어올 틈이 부족하다. 뭣 모르던 시절 계획했던 서른 살의 문단 등단은 물 건너 갔지만, 마흔 살엔 회사를 그만두고 글'만' 쓰는 작가가 되겠다는 결혼 전 계획 또한 실현가능성이 현저히 낮아졌지만, 이제부터 시작해보려고 한다. 오히려 회사 생활을 하며 사람들과 살 부비며 겪는, 실은 신체 접촉보단 감정 접촉으로 인해 겪는 많은 일들을 차분히 정리할 수 있을 것 같다.

이제 시작이다. 그래서 예전의 해묵은 감정들, 나를 자꾸만 주눅들게 했던 열등감과 그보다 더 못난 자괴감을 떨쳐 버리려 이 글을 썼다. 뭐 그런 걸 내내 마음에 뒀나 싶도록 내내 수치스럽고 부끄러운 마음이지만 그 모습도 나고, 그걸 이겨내고자 하는 것도 나니까…. 그것들을 양분 삼아 좀더 성숙한 사람으로 나아가야겠다.

계란빵

내가 글을 쓰기로 결심한 이유

사람들은 보통 남의 이야기에 귀를 기울이지 않는다.
자기의 이야기를 더 하고 싶어 한다.
이 글은 내 이야기에 귀를 기울여 준 한 사람 때문에
쓰게 된 나의 이야기이다.

1. [illegible]이 되고 싶었던 소녀
2. [illegible] 나([illegible])
3. 다시 [illegible]
4. [illegible] - 달콤한 계란빵

감독이 되고 싶었던 소녀

17살이 되던 해, 디자인 고등학교에 입학했다. 미술도 잘 몰랐던 내가 그 학교를 간 건 순전히 성적 때문이었다. 인문계 갈 성적은 안 되고 실업계는 가기 싫어서 개교한 지 2년이 채 안 된 학교에 원서를 냈다. 내 성적이 장학금을 받을 정도였으니 학교 수준은 보지 않아도 알 수 있었다. 학교 수업은 주로 실기 위주였다. 태어나서 데생이란 걸 처음 해본 날, 그 기억이 아직도 생생하다. 아그리파 석고상을 노망난 할아버지처럼 그려놨었다. 공부와 거리가 먼 학교를 어영부영 다녔다. 장학금을 받던 실력은 더 이상 남아 있지 않았고 공부에 대한 흥미는 점점 시들어져 갔다. 반 친구들 몇몇은 홍대 클럽을 다니며 일탈을 즐겼다. 활달한 친구들은 밴드와 사진도 찍고 이름도 주고받았다. 어린 마음에 그 친구들이 우상처럼 느껴졌다. 지금은 휴대전화로 쉽게 음악을 들을 수 있지만 그 당시엔 스트리밍 서비스가 없었기에 워크맨과 CD플레이어가 유일한 음악 저장소였다. 평소 말이 없던 성격과 다르게 난 주로 록이나 헤비메탈을 즐겨 들었다. 그중 가장 좋아했던 라디오 헤드, 너바나의 곡들은 내 플레이리스트를 가득 채웠다.

음악 못지않게 좋아했던 건 영화였다. 친구들과 영화 이야기를 할 때가 가장 즐거웠다. 그 당시 화제의 인물은 단연 왕가위였다. '중경삼림'을 보고 팬이 되었다. 영화의 OST였던 마마스앤파파스의 'California Dreaming'을 매일 들으며 등교했던 기억이 난다. 왕가위는 '중경삼림'처럼 가벼운 이야기만을 하는 감독은 아니었다. '타락 천사', '동사 서독'은 18살의 소녀가 이해하기엔 난

해한 영화였다. 1997년 '춘광 사설'이 우리나라에 수입되었을 땐 동성 간의 성행위 장면으로 우리나라에서 상영을 금지당했다. 왕가위 팬으로서 기다렸던 작품이었는데 못 본다고 생각하니 마음 한편에 분노가 일었다. 억울한 마음에 상영 금지 처분 기사에 자유의 침해라며 메모를 남겨두었더라.

난 요번 판정에 대해서 이렇게 생각한다.
공연 심의 위원들은 고작 8명 우리 대중들은 수를 헤아릴수 없이 많다
고작 8명의 사람들이 우리의 눈과 귀가 되어 우리를 대변한다.
이건 이야기 로 밖에 난 생각이 안된다. 보는 사람들은 바로 우리다
국가와 사회가 아닌 우리 주관적인 느낌으로 보는 것이다. 고작 8명의
사람들로 인해 우리의 눈과 귀를 빼앗길순 없다 봐서 안되는것도
우리가 결정하고 봐도 정당하다는것도 우리가 결정하고 판단
할 일이다. 그렇게 주관적인 우리 생각을 무자비 하게 짓밟을순
없는 것이다. 난 정말 어떤 정부들 올리우는 모두 똑같다.
우리나라는 엄연히 민주국가 이며 우리들의 생각을 그렇게
마구 판단할순 없는 것이다. 너무 화가 난다 우리나라 제도
에 대해서.

['해피 투게더' 수입 금지에 대한 메모, 뭐가 그리 억울했던 걸까?]

사춘기란 하지 말라면 더 하고 싶은 욕구가 생기는 나이 아니겠는가? 친구 한 명이 '춘광사설(해피 투게더)' 해적판을 구해왔다. 친구들과 몰래 해적판을 공유해서 돌려보기 시작했다. 내 차례가 왔을 때 보려는 마음보단 부모님께 들키지 말아야 한다는 마음에 더 떨렸던 것 같다. 자막이 없는 저화질의 영화는 지루하기 짝이 없었다. 어떻게든 봐야 한다며 졸린 눈을 뜨려 해도 맘처럼 쉽지 않았다. 몇 번을 봐도 늘 같은 장면에서 눈이 감겼다. 번쩍

눈을 떴을 땐 두 주인공이 택시를 타고 어딘가로 향하고 있었고 반도네온 연주가 '아스트로 피아졸라'의 '프롤로그'가 흘러나왔다.

왕가위 영화를 보고 자연스럽게 감독이라는 직업에 관심을 가지게 되었다. 사춘기 소녀의 호기심은 감독이라는 거대한 꿈을 키웠고 '난 무조건 감독이 될 거야'라는 생각으로 미술 학원에 등록했다. 절망적이게도 내 성적으로 갈 수 있었던 대학은 거의 없었다. 미술도 못하면서 공부까지 못했으니, 서울에 있는 대학은 갈 수가 없었다. 수도권이라도 갈 수 있다면 다행일까? 재수할 형편은 아니어서 미술 학원에서 추천한 영상디자인 학과에 진학했다. 먼 타지에서 학교생활을 시작할 거라곤 예상하지 못했다. 아무것도 없는 사막에 뚝 떨어진 기분이었다.

학교 기숙사는 총 6명이 방을 나눠 썼다. 다행히도 함께 방을 쓰게 된 친구는 같은 고등학교를 졸업한 친구였다. 서로 힘든 것을 나누다 보니 금세 친해졌다. 얼마 지나지 않아 몇 명의 친구를 더 사귀게 되었고 기숙사에서 외로운 밤을 견디게 해주었다. 친구들과 밤마다 많은 이야기를 나눴다. 19금부터 코믹까지 다양한 이야기들을 나누며 소녀처럼 밤을 지새웠다. 주 5일제 회사원처럼 5일은 지방에서 학교생활을 하고 금요일 수업이 끝나면 집으로 올라왔다. 외롭기만 할 줄 알았던 1학년을 보내고 2학년 때 학과를 선택할 수 있었다. 드디어 꿈꿔왔던 감독에 한 발 더 다가갈 기회가 왔다고 생각했다. 학과 수업 중 단편영화를 찍어 제출하는 '단편영화 제작' 수업이 있었다. 당시 글을 잘 쓰는 편은 아니었으나 운이 좋아 시나리오가 선택되어 꿈에 그리던 감독을 맡을 수 있었다. 하지만 조별로 짝을 이루어 진행된 단편영화 제작은 처음부터 삐거덕거렸다. 조별 과제란 하려는 놈만 하는 구조 아니겠는가? 조원 중 실제로 하는 사람은 나와 내 친구 단둘뿐이었다. 다른 조원들은 온갖 핑계를 대면서 참여하지 않았고 그들 때문에 분노가 치밀었다. 오죽하면 혼자 하겠다고 울며불며 난리를 쳤을까. 이를 벅벅 갈며 조원들 이름을 빼버리겠다며 으름장을 놓았다.

그래도 과제는 해야 했기에 동분서주하며 없는 조원의 몫까지 해야 했다. 슈퍼 아저씨에게 사정하며 장소를 섭외했고 선배에게 콘티를 그려달라 사정했다. **왜 이런 일을 해야 하지? 감독이 이렇게 막노동이란 말인가?** 촬영을 끝내고 몇 날 며칠 잠도 못 자고 편집했을 땐 다 때려치우고 싶은 마음이 들었다. 불행인지 다행인지 과제를 제출한 후 이런 생각이 들었다. 꿈이라고 도전해본 일이 생각보다 어렵다는 것을. **'이 일로 밥 벌어먹으려면 어지간한 멘탈로는 버티기 어렵다는 것을'** 기대가 크면 실망도 크다고 그 이후론 감독의 꿈은 팍팍 구겨서 쓰레기통에 던져버렸다. 3학년 때 꿈을 포기했으니 그 뒤로 듣는 수업에 그다지 흥미를 갖지 못했다. 졸업은 해야겠고 영화는 만들기 싫어서 엉뚱하게 홍상수 감독 홈페이지 만들었다. 그 당시 '오 수정'과 '생활의 발견'을 보고 독특하다고 생각했던 감독이었다. 보편적인 영화와는 다른 촬영 방식과 시나리오 작업으로 마니아층이 넓어지고 있었다. 순전히 팬의 마음으로 홈페이지를 만들었다. 다행히 교수님들 눈에 나쁘지 않았는지 과락은 면했고 무사히 졸업할 수 있었다.

말라버린 나 | 꿈을 잃어버렸다 |

졸업 후, 놀고먹는 백수로 전전하다가 첫 회사에 취직했다. 서울역 근처에 작은 교육 회사였다. 어느 회사든 취업만 하자는 생각이었고 운이 좋게도 친구와 함께 다니게 되었다. 규모가 작은 회사다 보니 사무실 환경이 열악했다. 회사 출입문은 나무 문으로 열쇠로 여닫을 정도였다. 화장실은 두 층은 더 올라가야 갈 수 있었고 사무실 안은 자욱한 담배 연기로 가득했다. 회사 부장은 KBS에서 PD를 했던 사람이었다. 부장은 틈만 나면 담배를 피웠다. 온종일 피워대는 통에 머리카락과 옷은 냄새가 깊숙이 배어들었다. 담배도 피우지 않는 내가 엄마한테 오해 받을 정도였다.

사장 앞에서 세상 일은 자기가 다 하는 척했던 부장도 주말엔 외주 받은 일을 하느라 정신이 없었다(그 당시만 해도 주 6일제였다). 5분짜리 광고 영상을 공들여 편집했다. 촌스러웠던 배경이 아직도 기억에 선하다. 겉으론 별거 아닌척했지만 나도 영화를 만들 때가 생각났다. 학교 때 친했던 선배들도 영화 쪽으로 취업을 많이 했으니, 마음만 먹었다면 얼마든지 꿈을 키웠을 수 있을 것이다. 가끔은 포기한 꿈 때문에 씁쓸해졌다.

PC의 시대가 가고 스마트폰 시대가 왔다. 사람들은 점점 더 편한 것을 찾기 시작했다. PC로 콘텐츠 서비스를 하는 회사는 그런 흐름 속에 점점 더 도태되었다. 공들여 만들어 둔 콘텐츠는 팔리지 않았고 여러 가지 분쟁으로 회사는 점점 더 어려워져 갔다. 직원들이 하나, 둘 퇴사했고 남았지만, 정들었던 서울역을 떠나 월세가 저렴한 구로디지털단지로 이전을 하게 되었다. 이전을 한 후에 회사 상황은 더 나빠졌고 사장이 갑작스럽게 백혈병 진단을 받아 치료받게 되었다. 이대론 안 되겠다 싶어 사장의 병문안을 가서 퇴사하겠다고 말했다. 몇 번이고 말렸지만 지금 아니면 탈출의 기회가 없다고 생각했다. 발목을 잡는 사장님을 뒤로하고 첫 번째 회사를 그만두게 되었다. 회사가 어려웠지만 다행히 4년 동안 일한 퇴직금을 정산 받았고 가족들과 함께 일본 여행을 떠났다(그땐 참 철이 없었지, 쉬는 동안 퇴직금을 다 썼던 것 같다). 돈을 모아 결혼을 하고 노후 준비를 하는 경제 개념 따윈 애초에 머릿속에 들어 있지 않았다. 사는 것이 힘드니 감독이나 글에 관한 생각은 내 머릿속에서 지워져 있었다. 그렇게 내 꿈은 더 말라갔다. 시간만 축내며 3개월쯤 쉬었을까 내 인생에 큰 변화가 찾아왔다. 첫 회사에서 나를 잘 봐주었던 대리가 전직을 권유했다.

전직을 권한 분야는 이러닝 업계였다. 지금은 코로나로 인해 zoom이나 이러닝 수업이 익숙했지만 2010년도엔 이러닝 분야의 직업을 가졌다고 하면 이러닝이 뭐 하는 일인지 한참을 설명해야 했다. 다행히 감독은 포기했지만, 지식을 알리는 일도 그리 나쁘지 않다고 생각했다. 그때 이 일을 선택해서 굶지 않고 밥벌이하고 있는 게 아닐까, 싶기도 하다. 일이 풀리니 연애도 풀렸던 걸까? 나는 그 이후로 여러 이러닝 회사를 이직하며 연봉도 올렸고 모태 솔로로 살 것 같았던 난 남편을 만났다. 무난하게 결혼했고 평범하게 아이를 가졌다. 힘겨운 출산을 이겨냈고 아이가 태어났다. 그리고 1년 후 새로운 직장에 취직했다.

새로 들어간 회사는 일이 참 많아 야근을 밥 먹듯 했다. 젖도 못 뗀 아들은 울면서 엄마를 기다리며 잠들었고 그런 생활이 3개월 동안 이어졌다. 친정엄마는 하던 일도 그만두시고 아들을 봐주셨다. 매달 용돈식으로 드리는 돈은 엄마의 생활비였다. 힘들어도 악착같이 버틴 이유는 친정 부모님을 돌봐야 한다는 의무감 때문이었다. 노후 준비가 전혀 되어 있지 않으신 두 분은 몸이 좋지 않아 일도 하기 힘드셨다. K장녀인 나의 어깨는 점점 무거워져 갔다. 무거운 짐을 내려 놓을 수 있는 유일한 시간은 동료와 수다를 떨 수 있는 점심시간이었다. 그 시간만큼은 어디에도 말할 수 없는 이야기를 할 수 있었다. 그렇게라도 해야 그날을 버틸 수 있었고 돈을 벌 수 있었다. 1년 정도 지나니 복잡했던 일들이 대부분 정리되었다. 열심히 준비했던 프로젝트의 결과도 좋았다.

그러던 어느 날 조용했던 사무실에 갑자기 경찰이 들이닥쳤다. 영문을 모르는 직원들은 혼비백산이 되었다. 경찰은 직원들을 모두 모아 회의실로 데려가 정황을 설명했다. 그 중 몇몇 컴퓨터를 압수한다며 손을 대지 못하게 했다. 살면서 경찰을 만나는 일이 얼마나 있을까? 회사는 엉망이 되었고 내 인생도 미궁에 빠져버렸다.

[퇴근길, 2호선 전철에서 바라본 노을]

경찰이 들이닥친 이후 나를 포함한 몇몇 직원들이 퇴사했다. 다행히 대표는 다른 회사를 인수한 상태였고 암묵적으로 대표가 인수한 회사로 출근하기로 결정이 되었다. 그런데 대표가 새로 인수한 회사도 열악한 건 마찬가지였다. 꿈을 위해 돈을 포기한 것도 아닌데 일한 만큼 대가를 받지 못했다. 직원들은 삼삼오오 모여서 퇴사 이야기를 꺼냈다. 이런 상태로는 통장은 탈탈 털리고 남는 것은 하나도 없을 것 같았다. 대표에게 부당하다며 말해도 돈이 없다는 대답만 돌아왔다. 돈을 못 받는지 석 달째, 아무리 생각해도 버티는 건 멍청한 짓이라고 생각했고 다른 회사에 입사 지원을 했다. 간절하게 빌었다. **'제발 이 지옥에서 탈출하게 해달라고'** 하느님이 내 기도를 들어 주신 걸까? 입사 지원한 회사에 최종 면접까지 갔고 합격했다.

합격 후 퇴사 통보를 하러 부장과 면담을 했다. 퇴사하려는 나를 붙잡고 함께 사업을 하자며, 실업급여를 받게 해줄 테니 백만 원만 받고 일하라는 제안을 했다. 부장과는 입사 전부터 친분이 있었다. 몇 년 전 지인 소개로 만나 친분 관계를 유지하고 있었다. 같이 일하지 않았을 땐 까다롭고 예민한 사람인 줄 몰랐다. 같이 일해보니 그것들이 나를 힘들게 했다. 불편함을 넘어 그 사람과 일하는 것이 무섭고 싫었다. 별거 아닌 일로 화를 내다가 자기 사람이라며 잘 챙겨줄 땐 이중인격자 같다는 생각도 들었다. 나는 부장과 더 이상 일하기 싫었고 이미 다른 회사에 합격했으니, 제안을 받아들일 이유가 전혀 없었다. 퇴사 의사를 밝힌 이후로 부장은 나를 멀리했다. 지인 관계였다는 게 무색하게 사무적으로 대했다. 나는 속으로 다행이다 싶었다. 오히려 질척이지 않아서 좋았다. 마지막 출근 날 부장을 다신 안 본다고 생각하니 속이 후련했지만, 어딘가 모르게 허탈했고 내 마음 한구석에 웅크리고 있던 꿈은 말라만 갔다.

다시 찾은 꿈 - 작가가 되기로 결심 하다.

나이는 어느덧 37 아무것도 기대하거나 아무것도 상상할 수 없는 나이, 나는 바로 그 나이를 지나고 있다. 결혼하고 5년, 5년 전 나는 들떴었고, 자신감 있었고 지금보다, 늙지 않았었고, 생생했었고, 꿈이 조금 더 있었으며, 결혼도 하지 않았었지….
그렇다고 결혼한 것과 지금의 생활을 후회하는 것은 절대 아니지만 뭔가 들떠 있지도 않고, 자신감도 없고, 늙었고, 축 늘어졌다.
몸도 마음도 모든것이 다!
그런 지금의 나는 그냥저냥 스쳐 지나가는 드라마들을 보고 좋아

하고 웃고 마음 설레하고 현실적인 것에서는 전혀 설렘을 느낄 수 없다. 어떻게 하면 내 마음이 다시 설렐 수 있을까? 고민하다가 생각했다! 무궁무진하게 상상해 보자! 사실 상상은 그 누구인 것도 아닌 내 자신의것 이니까! 내꺼니까 아무도 뭐라고 할 수 없는 것이기에, 나는 마구마구 상상해 보기로 했다.

2017년 6월 11일 메모 중에서-

회사를 옮기고 몇 년의 시간이 흘렀다. 시간은 잡을 수 없이 빨리 흘렀고 앞자리가 바뀌어 마흔이 되었다. 좋은 상사와 동료를 만나 힘든 시절의 상처는 아물어 갔지만 난 늘 목이 마른 느낌이었다. 서른일곱에 써 놓은 메모처럼 설렘을 느끼고 싶었다. 무엇이든 상상하고 싶어졌다. 그때 문득 **내 이야기에 유일하게 귀를 기울여준 그녀가 떠올랐다.** 그녀는 나에게 했던 이런 말을 했었다.

"글을 써보는 게 어때? 네가 해주는 이야기는 늘 재밌고 설레잖아. 그냥 한 번 써봐. 쓰고 나면 내가 제일 먼저 읽어줄게!"

누군가 내 이야기를 들어준다고 하니 갑자기 자신감이 생겼다. 묵은지처럼 오래 묵혀뒀던 블로그를 다시 열고 글을 쓰기 시작했다. 누가 글을 쓰라고 등을 떠민 것도 아니고 내 능력이 갑자기 월등해져 글에 재능이 생긴 것도 아니다. 그냥 무작정 써보고 싶어졌다. 그렇게 써 내려간 글엔 목적도 방향성도 없었다. 그냥 생각나는 대로 쓰고 또 썼다. 정신없이 쓰다 보니 약 20회 정도 되는 단편 소설이 되었다. 소설을 올리면서 동시에 다른 글도 쓰기 시작했다. 에세이 형식으로도 쓰고 부동산 임장기도 쓰고 나

혼자만 보는 글이 아닌 세상과 연결되어 글을 쓰다 보니 관심을 받고 소통하는 것이 갈수록 재밌었다.

블로그는 나에게 글을 쓰는 것이 재밌는 일이라고 느끼게 해준 플랫폼이다. 글을 잘 쓰는 사람들의 집합소처럼 매력적인 글들이 정말 많았다. 가장 놀랐던 건 매일 글을 올리는 사람들이었다. 매번 비슷한 이야기 같지만 일목요연하게 정리해서 올린 글들은 내겐 큰 자극이었다. 소설만 쓸 것이 아니라 내 생각을 매일 표현해 보자는 생각이 들었다. 글을 쓸 때 가장 힘든 건 글감도 내용도 아니었다. 글을 쓸 수 있는 시간을 확보하는 것이었다. 어떻게든 글을 쓰고 싶기에 출근길과 퇴근길을 이용했다. 글감이 생각나면 블로그를 열고 메모했고 메모를 바탕으로 글을 썼다.

글을 쓰다 보니 생각을 많이 하게 됐다. 걸으면서도 오늘은 어떤 글을 쓸까? 글감을 고민하기 시작했다. 사소하지만 루틴을 만들어 가다 보니 글을 쓰는 것이 점점 더 재밌어졌다. 잘 쓰려면 어떻게 해야 할까? 욕심이 났다. 누군가에게 블로거가 아닌 작가로 다가가고 싶었다. 그쯤 도전하게 된 것이 '브런치 스토리'였다. 블로그와는 다르게 작가 신청에 통과되어야 글을 쓸 수 있다. 2022년 8월 브런치 작가 신청을 했다. 내가 쓸 글의 방향과 작가 소개를 작성하고 호기롭게 신청 버튼을 눌렀다. 일주일 후 메일로 받은 결과는 이번에는 작가로 모실 수 없다는 내용이었다. 한마디로 까였다. 18년 차 직장인이 블로그에서 일상을 담고 있으며 앞으로 열심히 투자하며 살겠다는 내용은 누가 봐도 흔한 이유였을 것이다. 칠전팔기의 마음으로 9월에 다시 작가 신청을 했다. 이번엔 설마 되겠지. 안될 리가 있어. 두 번까지는 괜찮다고 생각했지만, 역시나 미끄러졌다. 첫 번째로 실패했을 때는 한 번에 될

리가 있어 하며 위로했지만 두 번째는 떨어지니 충격이 컸다. '작가로 불리고픈 워킹맘의 치열한 웹소설 도전기'는 읽고 싶지 않은 모양이다. 이후로 한동안 브런치는 쳐다도 보기 싫어 도전하지 않았다. 두 달 후 11월쯤 나는 다시 브런치에 도전했다. 어떤 글을 쓸까? 며칠 고민하며 목차도 작성하고 공을 들였다. 과연 결과는 어떻게 됐을까? 역시나 낙방이었다. 화가 나 카카오를 부수겠다며 식케이(Sik-K)의 X발이라는 노래를 한동안 들었다. 평생 브런치 작가는 못 되겠다 싶어 이제 도전하지 말아야겠다고 다짐했다. 슬프면서도 한 편으론 내가 왜 안 되는 걸까? 뒤돌아보게 되었다. 2023년 5월 네 번째 도전 끝에 브런치 작가가 될 수 있었다. 그때 쓰려고 기획했던 글이 바로 "내가 글을 쓰기로 결심한 이유"였다. 결국 나만의 이야기함으로써 누군가에게 인정받은 것이다.

내가 처음 쓰는 종이책에 브런치 마지막 도전 내용을 담아본다. 브런치 작가를 희망한다면 자신만의 이야기를 썼으면 좋겠다. 나도 그렇게 시작했으니까. 꼭 되리라 믿는다.

작가님이 궁금해요.

아침마다 출근 루틴으로 블로그에 글을 쓰고 있는 글굽는 계란빵입니다. 힘들고 지친 사람들을 위해 계란빵처럼 고소한 글을 전달하고 싶습니다. 그들 마음속에 오래도록 따뜻하게 남아 위로하고 응원하고 싶습니다. 차가운 글보단 따뜻한 글을 쓰고 싶습니다.

'브런치 스토리'에서 어떤 글을 발행하고 싶으신가요?

작지만 따뜻한 누군가는 그냥 스쳐 지나갈 일상들을 따뜻하게

글에 녹여보려 합니다. 화나고 지친 일상에 따뜻한 위로가 될 수 있도록 말이죠. 기교가 많고 자극적인 글은 아니지만 울림이 되어 오래도록 기억에 남는 오래된 빵집 같은 푸근한 글을 쓰겠습니다.

— 네 번째 브런치 신청 내용 중에서

브런치 작가가 된 것만으로도 참 기뻤다. 작가라는 칭호를 내가 받을 수 있다는 게 신기했다. 지금까지 나는 현실에 적응하며 열심히 살면 될 줄 알았다. 그게 아니었나 보다. 메슬로우의 욕구 중 가장 최상위에 있는 욕구는 바로 자아실현의 욕구다. 생리적 욕구가 채워지면 안전의 욕구가 생기며, 안전의 욕구가 채워지면 사회적 욕구가 생긴다. 존중의 욕구까지 채워진다면 마지막으로 자아실현의 욕구가 생겨난다. 결국 나 자신을 아는 것이 세상에서 가장 어려운 욕구이다. 자아실현이란 내가 무엇을 하고 싶고 원하는지 알아가는 욕구이다. 나는 그 욕구를 43살이 돼서야 알게 되었다. 나는 글을 쓰고 싶었다. 글 안에서 나는 자유로운 영혼이 된다. 마음껏 내 마음을 보여주며 내 안의 나와 소통한다. 사랑받고 싶을 땐 달콤한 사랑 이야기를 노력하고 싶을 땐 동기부여가 되는 이야기를 건강을 지키고 싶을 땐 운동에 관련된 이야기를 쓰며 내 안의 욕구를 채워나간다. 우리는 살면서 얼마나 많은 설렘을 느낄 수 있을까? 젊은 날 이성과의 사랑은 이미 지나갔고 더 이상 내 마음을 설레게 하는 것은 없다고 생각했다. "어른은 꿈을 꿀 수 없기에 연애를 한다." 연애시대에 나오는 대사처럼 꿈을 꾸기 위해 연애를 하면 큰일 나는 유부녀이다. 그러기에 나는 설렘을 글에서 느낄 수밖에 없다. 설렘으로 가득한 공간을 만들고 그 안에 두 남녀를 등장시킨다. 우연이 연속되면서 둘은 서로를 알아가게 되고 사랑하는 감정을 느끼게 된다. 나는 완벽하게 관찰자 시점에서 둘을 바라본다. 어떤 부분에서 매력을 느끼고 감정을 느끼게 되는지 감정을 따라가 본다. 그러면 어느새 그 상황에 푹 빠져 웃음을 짓고 있는 나를 발견한다. 다시 사랑할 수 없어서 글을 쓴다면 믿을까? 글을 쓰는 순간만큼은 남자가 되고, 여자가 되어 사랑을 속삭인다. 나는 그렇게 따뜻하고 설레는 글을 쓴다.

[내 첫 소설인 '봄이 다시 찾아왔다'는 꽃 피는 봄에 태어났다.]

부캐를 만들다 - 글굽는 계란빵

설레는 글을 쓰고 싶어서 시작한 글쓰기. 아직 나는 쓰는 중이다. 1년 넘게 블로그는 1일 1포(하루에 하나씩 포스팅을 올린다는 블로그 용어)를 하고 있고 브런치도 발행하고 있다. 고유 출판사를 만나 종이책을 쓰게 되었다. 글을 쓴다고 해서 하루아침에 많은 것이 바뀔 수는 없다. 1일 1포를 한다고 해서 블로그 조회수가 폭발적으로 늘어나지도 않는다. 나는 그냥 매일 글을 쓰고 의미를 부여하고 성장해 나가고 있다. 글을 쓸 때면 신나고 설렌다. 조금씩 성장하고 발전하고 있는 것만 같다. 앞으로 어떤 글을 쓰게 될지 모르겠지만 내 인생의 종착역엔 글이 있었으면 좋겠다. 한 명이라도 내 글을 읽어준다면 아니 읽어주지 않아도 상관없다. 내 글 안에서 열심히 뛰어놀면서 즐거울 테니까. 내가 설레기 위해서 글을 썼다. 봄바람 같은 설렘을 누군가에게 전해주고 싶다. 글을 쓰는 누군가 망설이고 있다면 이야기해 주고 싶다. 어떤 이야기라도 좋다. 그냥 슬쩍 꺼내 보라고. 슬쩍 꺼낸 이야기라도 누군가가 응원해 줄 것이라고. **내가 누군가의 말 한마디에 글을 쓰게 되었듯 당신이 하는 이야기에 귀 기울여 줄 한 사람이 기꺼이 되어줄 거라고.**

손다니엘

여전히, [illegible]

1. [illegible]
2. [illegible]
3. [illegible]
4. [illegible]
5. [illegible]
6. [illegible]

당신이 불을 피웠다고 하던데요.

난 애연가다. 바지의 주머니가 터질 듯 담배 상자와 라이터를 성실히 채워 넣는 골초다. 언제부터 연초를 태웠는지 선명히 기억하지 못하지만, 그저 무엇 하나라도 태우고 싶은 심정에 매몰되어 있었던 건 확실했다. 또한 다른 이들이 시답지 않게 받아들이는 고통을 갑절로 느끼는 성격을 타고난 탓도 있었다. 내가 비흡연자를 자처할 때, 하루에 담배를 두 갑씩 피워내던 친구가 있었다. 친구는 평상시와는 다르게 담배를 찾는 나를 보고 눈치를 챈 듯, 흡연을 적극 만류했다. 애초에 시작조차 하지 말라는 걱정 어린 말들은 내 심적 고통을 다른 방식으로 풀어내라는 압박으로 느껴졌다. 줄곧 속에선 알 수 없는 분노와 반항심이 차올랐다. 다음 날 눈꺼풀이 반도 뜨이지 않을 만큼 푹 자다 깼다. 정신이 무언가에 홀린 듯 동네 마트로 어기적어기적 몸을 옮겼다. 실바람이 불어도 흔들릴 만큼 낡은 미닫이문이 덜컹거리고 있었다. 내부엔 알록달록한 신상 연초들이 가지런히 진열되어 있었다. 대뜸 마트 아저씨에게 "어떤 것을 태워야 하나요?"라고 묻고 싶었다. 자유분방하게 튀어 오르는 불안함을 태우는 방법이 과연 하나밖에 없는 것인지 물어봐야 하는 나이일까 한참을 고민했다. 이내 멍하니 담배 진열장만 쳐다보고 있는 손님이 영 미심쩍은 듯, 마트 아저씨는 말을 건넸다. "뭐 찾아 학생?" (젠장. 이미 나를 성인으로 보고 있지 않았다.) 번뜩였던 용기는 폴썩 꺾여 버리고야 말았다. 급히 계산대 주위를 둘러보았다. 빨간 줄이 그어진 소시지와 초콜릿 바가 수북이 쌓여있다. 내가 태우고 싶은 것은 높게 쌓인 짚단처럼 가벼운 불안감이었을 뿐인데, 정작 걱정만을 물고 있어 뱉지 못했다. 결국 무작정 손에 잡히는 것을 몽땅 사서 나왔다. 마치 몇 개를 살지 오래 고민한 것처럼 보이길 바라며.

하지만 난 기민한 예언가는 아니다. 짧게는 30초. 길게는 1분 가량 태우는 시간 동안, 내 몸을 헤집어 놓는 유해 물질을 너무나도 잘 알고 있다. 그러나 생을 얼마 동안 살고 다녀갈지 알 수 없는 청년이다. 금방 사라지는 고통을 순간의 쾌락과 교환하는 잡상인이라고 보아도 될까. 하루 전의 들떴던 마음을 다시 잡았다. 오늘 저녁에 있을 친구들과의 모임을 기약하면서 말이다. 몇 시간 뒤, 신풍역 근처 곱창집에 도착했다. 주문한 곱창이 나오기도 전에 잔을 채우고 비우기를 반복했다. 소주병이 꼴꼴 소리를 낼 때도, 쓴 것이 목젖을 잡고 추락하는 순간에도, 굳이 연초를 태워야 하는 것인지 심히 고민했다. 거듭할수록, 술과 담배는 서로 엉겨 붙는 단짝이라고 결론을 내버렸다. 조금 전에 버렸던 새 담배 상자도 떠올랐다. 술을 마시는 행위는 고민을 토해내려고 하는 건데, 오히려 걱정과 서러움이 배가 되어 정신을 혼미하게 만들지 않는가. 심지어 눈에 보이지 않는 것을 직접 태울 수도 없는데 뭘 자꾸 태우겠다는 건지 내심 답답해하고 있었다. 결국 친구들과 함께 도로변에 나갔다. 대뜸 하나만 달라고 했다. 친구가 말했다. “결국 태우는 거냐?” 난 대꾸를 감췄다. 필터 속 품어진 캡슐을 깨물었다. 그리고 내뱉었다. 연기가 시야를 가리고 말았다. 그 순간 친구들과 도로 위의 경차들이 감춰졌다. 분명 나를 힘들게 하는 감정들을 회피하려 했었지만, 오히려 또렷이 직시하게 된 아이러니를 경험한 순간이다.

그렇게 연초를 태우기 시작했다. 대뜸 타인에게 담배를 옹호하지도, 만류하지도 않는 애매한 입장도 자처했다. 어찌 연초를 사용해서 진득한 감정들을 잊어보고 발악하라고 권할 수 있을까.

하지만 단지 스스로에게는 권유한다. 퇴고할 때만큼은 담배를 꼭 챙기니까. 문득 공공 흡연구역에서 여러 유형의 사람들이 둥실 떠오른다. 핸드폰만을 멍하니 바라보고 있는 사람들과

소속감을 느끼고 싶어 역한 향기를 견디는 사람들. 어쩌면 나는 이들처럼 다양한 결핍이 있는 사람일지도 모르겠다. 결핍을 채울 방안을 탐색하는 것보다, 헛헛한 마음을 태우는 것을 (회피하는 차원에서는) 최우선으로 두었던 날들이 선명하다. 그러나 이제는 내가 무엇을 쥐고, 놓고 싶은지 직시하고 싶다. 재떨이 속의 풀죽은 꽁초를 보고 재차 후회를 맞닥뜨릴 자신도 없다. 만약 언제 사라질지 모르는 결심을 아기처럼 잼잼 한다면, 놓고 쥐어야 할 것을 분명히 알게 되지 않을까.

* 잼잼 : 손바닥을 활짝 폈다 오므렸다 반복하는 아기 신체 놀이

롱 베케이션 (Long Vacation)

1996년 4월. 일본 전역을 강타한 드라마가 있다. 야마구치 토모코와 기무라 타쿠야에게 국민적인 인기를 안겨준. 바로 롱 베케이션(1996) 이다. 매번 콩쿠르에서 떨어지는 피아니스트와 파혼으로 방황하는 여주인공의 조합은 여전히 쉬이 볼 수 없다고 생각하지만, 시청자들의 향수와 호기심을 자극하기에 충분했다고 본다. 내가 이 드라마를 접했을 때를 떠올려보면, 파혼한 여성에 대한 사회적 이미지를 주제로 다뤘다는 점이 매력적이었다. 단순한 호

기심에서 시작한 일회성 재미로 치부하기엔 아깝다고 여길 소재였다. 이때 출처 없는 믿음까지 생겼다. 여기서 언급하는 믿음의 실체는 무게감이 있다. 삶의 영역을 넓혀줄 수 있는 드라마가 되어주길 바라는 마음은 결코 가벼운 것이라고 단정 지을 수 없으니까. 난 평소 드라마를 잘 보지 않지만, 삶의 연장을 고민하게 만드는 드라마를 발견할 때면 무엇을 채울 수 있을지 고민하기 시작한다. 한겨울 실외기 아래에 매달려 있는 고드름처럼 단단한 가치관에 균열을 내는 것은 매번 즐거운 일이니까. 잔잔한 빙판 위로 올라서기 전에 일종의 스트레칭을 마칠 때면, 장작처럼 바싹 마른 몸을 긴장감으로 적셔놓는 행위도 생략하지 않는다. 의식적으로 약간의 긴장감과 설렘을 가져야만 했던 건 단연 휴식에 대한 증폭된 기대감이 한 몫을 했다.

나는 미성년자 때부터 성인이 된 스무 살까지, 방 안에서 홀로 빛나는 크리스마스 트리 아래엔 과연 무엇이 있을지 매번 기대했다. 그러나 매번 혀를 끌끌 차고 실망하던 내게, 「롱 베케이션」은 산타가 오래전에 놓고 깜빡한 선물과 같았다. 정작 휴일에도 쉬는 방법을 몰라서 나를 끊임없이 사회에 밀어 던져놓고, 일 중독자라고 합리화하기 바빴던 겨울이 길었던 탓이다. 지칠 때로 지쳐 차가운 빙판 위에서 캉캉을 추고 있던 나를 멈춰 세워볼까 고민했던 시점이었기도 했고. 그렇다면 난 어떤 이유로 춥게 지내온 걸까.

그동안 나는 전공과는 다른 직업을 원했고 쳇바퀴처럼 굴러가는 일상 안에서 방황했다. 쉬어갈 장소도, 시간도 없었다. 열일곱 살 때부터 스물네 살까지 요리를 줄곧 했다는 이유로 내 앞길을 쉽게 정해버리고 싶지 않아서 고집도 부렸다. 그 고집이 어떠한 결과를 가져오든 견뎌내겠다는 태도로 이를 갈았다. 어른들은 뭐든지 꾸준히 해야 한다는 말로, 어쭙잖은 관계를 맺고 있던 지인들은 그동안의 시간이 아깝지 않냐는 말로 조언을 하였다. 그러나 호텔에서 근무하면서 가졌던 안정감보다, 해 보고 싶은 것을 하나둘씩 해내는 성취감을 더 매력적으로 느꼈던 사람이었기에 더더욱 빠르고도 쉽게 정할 수 없는 문제였다. 결국 쉬어가자는 생각으로 삼청동의 이탈리안 레스토랑에서 일을 시작하게 되었다. 홀 서빙을 해 본 적은 없었지만, 당시 면접을 본 매니저가 나를 좋게 봐준 덕분이었다. 같은 외식업이지만, 직무가 달랐기에 이보다 더 좋을 수 없었다. (심지어 그 당시 내가 생각했던 삼청동은 신사적인 동네였다!) 하지만 애석하게도 원했던 휴식을 가져볼 수는 없었다. 기존에 근무하던 직원들이 하루가 다르게 사직서를 던지면서, 책임감에 살집이 붙어버린 것이다. 이때 느낀 심리적 압박감은 오히려 쉬지 못하게 만든 진상 고객으로 찾아왔다.

심지어 방문 고객들은 내 서비스와 음식으로 이 레스토랑을 평가하는 상황이었다. 그래서 난 상권에 비해 매출이 잘 나오는 상황이었음에도, 단골 장부를 제작해서 명절 때마다, 안부 메시지를 돌렸고 방문해주시는 고객에게는 내 명함을 드리며 신메뉴 알림을 꾸준히 드렸다. 차라리 안정적인 환경을 만들어놓고 조금이라도 쉬고자 했던 마음이 줄곧 강하게 들었기 때문이었다. 문득 파란 눈을 가진 T가 생각난다. 당시 T는 모 대사관에서 일하는 사람이었는데 나의 안부 문자를 몇 번이고 받았던 손님이다. 시간이 지나며 T의 국적까지 알게 되었고, 해당 국가 언어로 통역해서 몇 번 보냈던 것이 전부였다. 그런데 내 사소한 배려에 감동했다던 T는 유선 전화로 내게 감사 인사를 전할 겸 재방문 예약까지 하고 다음 만남을 기약했다.

예약 당일이 되었다. 한창 예약이 몰린 점심시간. 난 차마 T를 신경 쓸 수 없었다. 하지만 T는 나를 예약석으로 잠시 데려가 본인의 가족을 한 분씩 소개해주었다. 답례 차원에서 내 소개를 시작했다. 왈칵 눈물이 났다. 분명 입사했을 때까지만 해도, 가볍게 쉬면서 하자는 생각으로 왔는데 예상처럼 그러질 못하니 억울했던 마음이 분출되고야 말았다. 어쩌면 내가 갈망해온 휴식은 타인을 통해 행복을 느끼는 순간들을 즐기는 시간이었을까. 이후 T는 내가 퇴사를 결심한 날까지 연락을 취하며 꾸준히 만났으면 좋겠다고 전했다. 비록 지금은 다시 고국으로 돌아갔을지는 알 수 있는 길이 없지만, T는 영영 잊히지 않을 사람이다. 단순히 쉬고 싶다는 휴식을 갈망했던 내게, 무엇이 나에게 적합한 휴식이었는지를 따스하게 알려준 귀인이었으니까.

홍차 향이 맴도는 템즈강에서

우리가 홍차를 나누어 마시던 템즈강 근방 찻집으로 다시 돌아왔어.

그런데 동네를 몇 번이나 헤맸던 이방인이 낯설었던 걸까. 선반을 닦던 주인이 흠칫 놀라던데. 너도 봤으면 정말 재밌었을걸.

네온사인 하나 없고, 입구 주변을 가득 채운 양초가 누워있는 입구가 보여. 이 찻집을 다시 찾아올 수 있을까 고심하던 시간이 길었던 이유였을까. 녹아내린 양초가 셀 수 없을 정도로 많아. 순간마다 주저하던 내가 참 웃기다. 씁쓸한 표정을 짓는 내 표정도

봤다면 역시 배꼽을 잡고 웃었을걸.

아 참. 여전히 찻집의 외벽이 참 매력적이야. 너가 청록색 벽돌로 지은 고풍스러운 찻집이라며 좋아하던 표정을 아직도 잊지 못하잖니.

우리가 겪은 황당했던 일도 떠오르네. 너가 먼저 들어갔으면 하는 호의가 무색해질 만큼 가볍게 민 유리문이 와장창 깨져 버리고 말았잖니. 그때 이미, 우리가 지키자던 약속도 깨지게 된다는 일종의 징조라고 보았어야 했나. 찻잎의 색을 다르게 생각하는 모습부터 하나씩 이해해보자는 약속조차 설마 깨어지는 것일까 생각하며 어설프게 웃어넘겼지만.

내가 깬 유리문보다, 우리가 맺으려는 약속이 깨질 것 같다는 공포심을 한참을 들여다보고 있을 때, 마침 찻집 주인이 찻잎 봉투를 그만 바닥으로 떨어뜨리고 말았어. 조그만 충격으로도 무수한 홍차 잎이 바람에 속절없이 날아가 버렸잖아. 그런데 홍차 잎이 그만 템즈강의 강물 위로 안착해버려 얼마나 불행한 일이라고 생각했는지 몰라. 만약 홍차 잎이 팔짱을 끼고 있는 너의 팔 위에 살포시 얹혔다면, 화가 난 너의 모습조차도 매력적으로 보였을 텐데 말이지. 고작 몇 밀리그램의 가벼운 것이라도 감싸주길 내심 바라면서.

점점 찻물이 붉어지고, 관계가 헐거워진 우리는
자리를 벗어나기 24초 전이었어.

잠깐의 우스꽝스러운 장면을 보아도 웃음도, 말도 없던 나는 조금 전 강물 위로 흘러가는 찻잎의 색깔을 까맣다고 말하며 신을 냈지만 넌 이미 붉은색으로 산화해버리고 만 것이라며 대화를 끊어냈지.

아. 이젠 결말까지 절감했던 순간이었어.

엉덩이가 의자 위로 들썩하는 순간조차 잠재울만한 말이 없었고, 나눴던 말들을 그리워하고 있을 때였어. 우려낸 홍차를 처음으로 한 모금 들이마시고 다시 생각에 잠겼었지. 조금 전까지는 입가에 찻물을 댈 때, 대화를 잇지 못하는 그 짧은 순간도 얼마나 귀중하게 여겼는지 충분히 식어버렸더라고. 우리는 그렇게 홍차를 나누는 마지막 하루를 보냈지.

그래. 극명하게 달랐던 우리의 마음과는 달리, 홍차는 붉은 얼굴을 짓고 있었던 건 알고 있을까.

당신은 올리브, 나는 오일

우린 하루하루 살면서 다양한 관계와 엮인다. 우연히 동네 마트에서 대파를 사려고 들어간 것뿐인데 자연스럽게 안부를 묻기 시작한 사장님도 있고, 오븐에서 막 구워진 다쿠아즈를 맛보라고 손에 쏙 넣어주던 카페 직원도 있다. 심지어 출근하며 마주치게 되는 버스 기사와 새로운 얼굴로 옆을 채우는 승객들도 있다. 나는 가끔 사람들이 타인과 나누지 못할 말을 섞음으로써, 관계에 진척이 있다고 믿는 마음을 언급하고자 한다. 먼저 누구나 가까운 관계 혹은 애매한 관계, 먼 관계로 나뉜 사람들이 있다. 대개 가까운 관계라고 함은 통상적으로 친구, 가족 또는 연인이 도마 위에 오른다. 피를 나눴고, 정을 느끼고, 사랑한다는 이유로 얼굴도 모르는 타인보다 훨씬 가깝다고 여기는 것이다. 그러나 이 중 깊은 정을 샅샅이 공유하는 사람들은 정작 몇 명이나 될까. 문득 과거 생활했던 사회복지시설에서 만난 A와 B의 대화가 떠오른다.

A는 가만히 앉아 있는 B에게 말을 붙였다.
"B야. 아무 말도 하지 않아도 돼. 옆에 있는 것만으로도, 큰 힘이 되니까."

B는 말을 건네준 A에게 대답했다.
"A야. 나도 너랑 있으면 참 편하고 좋아. 우린 정말 친하고 잘 맞는 친구야."

과연 해당 대화만 본다면, 관계의 밀접성이 증가한 관계라고 보아야 할까. 난 옆에서 대화를 듣고 생각했다. A와 B는 서로에게 쉽게 하지 못할 말을 나눴지만, 고작 비밀을 보장해주리라는 믿음의 강도만이 강해지는 것뿐이라고. 굶주린 사람에게 포도를 하나 건네준다고 가까워질 수 없다고. 정작 그 사람이 배가 고픈 건지, 같이 함께할 사람이 필요한 것인지 파악하기도 전에 서둘러 거짓말을 통해 관계를 정립하는 것이 아닌가. 아무 말 하지 않아도 편하다는 말은 일종의 긴장감으로부터 형성된 선의의 거짓말이라는 의혹 역시 배제할 수 없는 표현이다. 내가 경험한 다른 사례도 하나 이어 붙여본다. 오랜만에 만난 그녀는 그간 쌓아두었던 강둑을 터뜨리듯, 이별한 사람과의 추억과 악담을 쏟아냈다. 결국 대화 말미엔 허탈감으로 비롯된 좌절감만이 남았다. 애써 괜찮다고 합리화하면서도, 마음 한 곳엔 다시 결합하고자 하는 강한 의지를 드러내고 표정을 감추지 못했다. 난 반사적으로 되물어보고 싶었다. 당신은 올리브고, 그 사람은 오일인데 왜 섞였다고 생각했는지. 그리고 매번 부지런하게 외면하는지. 당신의 그릇된 이상과 냉혹한 관계의 괴리감에서 오는 절망을 마주하지 못했던 건 누구의 탓으로 돌리는 것인지. 결과적으로 맞지 않는 사람과 애매한 관계라도 맺기 위해 부단히 노력하는 행위가 우스꽝스럽다고 전부 말하고 싶었다. 그러나 그녀 또한 나에게 오일과도 같은 사람이니 함구했다.

결국 섞인 듯 섞이지 않으려고 하는 관계를 지향하는 것이 출발선이 되어야 하지 않을까. 내가 누군가에게는 온전히 섞이지 않는 사람이라는 사실도 인정할 수 있어야 하고. 서로를 매번 흔들어 놓아버리는 것이 자연스러운 관계 맺음의 과정인데, 일방적으로 이상적인 관계를 강요하는 자세 역시 경계해야 하는 일이 아닐까. 또한 스스로가 다양한 올리브들을 담아내는 사람으로 거듭나고 싶을 때 왜곡된 정情에 휘둘리는 것은 아닌지 충분히 고려해볼 필요가 있다. 자신의 옆에 오래 두겠다는 건 욕심이지, 깊은 정情이라고 말할 수는 없다.

노랫말의 꼭두각시여

어느 날, 나는 노랫말의 꼭두각시라고 여긴 적이 있다. 대개 노래의 선율에 맞춰 끌려다니고, 어떤 날은 흥에 못 이겨 기타를 튕기며 노래를 부르기 때문이다. 심지어 노래가 사람의 형상을 하지도 않는데 평소 쓰지도 않는 팔꿈치와 무릎 연골까지 쓰게 만드는 주범이라는 사실도 매번 잊지 않는다. 도대체 나를 쉽게 흔들어놓는 음악의 얼굴은 도대체 어떨까. 자세히 들여다보니 나를 멈추지 않게 만드는 장르는 단연 재즈라고 고백할 수 있다. 때는 평상시처럼 출근을 준비하는 평일이었다. 욕실에 들어가 노래를 선곡한다. 노래가 흐르는 아이폰의 볼륨을 더욱 키웠다. 이게 바로 콘서트장이지라며 굳은 몸을 신나게 흔들어 재꼈다. (이 순간만큼은 우스꽝스럽게 춤추기 대회에서 1등을 할지도 모르겠다는 생각을 자주 한다) 심지어 출근하기까지 한 시간이나 남아서 늑장을 피웠다. 아아… 행복하군. 아아! 반복 재생은 자칫 지루하니까 임의 재생으로 설정해두어야지. 설레는 마음으로 한국 발라드 가수의 음악을 기다렸던 것이 민망할 만큼, 처음 듣는 노래가 흘러나왔다. 다름 아닌 Chet Baker의 Look for the Silver Lining이었다. 욕실에서 나와서 Chet Baker와 쿨 재즈, 재즈 음악가들을 찾아보기 시작했다. 그간 들은 발라드 노래 이외에 빠져들게 되는 영역이 또 있을 줄은 차마 몰랐다. 마치 톡 쏘는 향수로 치장한 여인을 지나친 것처럼 깊은 잔상이 남았다. 벌컥, 냉장고를 열었다. 어젯밤 무쳐두었던 푸릇한 시금치나물과 고소한 스크램블 에그, 그리고 차가운 식빵 두 조각을 식탁 위에 올렸다. 기껏 재즈 한 곡을 들었을 뿐인데, 머리에 악단이 들어와 자리를 잡기 시작했다. 내가 살고 있는 반지하 방은 영국의 낡은 재즈바로 변모했다. 벽에 걸려있는 액자 속

엘라 피츠제럴드의 미소를 바라보니, 절로 가슴이 따뜻해진다. 나는 도수 없는 백색의 음료를 마시고 있고, 다른 한 손으로는 느긋하게 리듬에 맞춰 두드리고 있다. 누구라도 이 경쾌한 분위기에 매료될 것이라고 확신했다. 비록 날씨는 흐렸지만, 시시한 분위기가 녹아들면서 오히려 신선한 장면을 창출했다. 심지어 내가 잡고 있던 우유병이 금세 바닥을 드러내자, 누군가에게 또 한 잔 달라고 주문할 뻔했다. 세상에!

한편 내가 재즈에 빠지게 된 이유로는 분명 고독을 대하는 방식과 맞물렸다고 생각한다. 단짝 친구들과 있어도 고독을 숨 쉬듯이 느끼는 사람이니까. 어린 시절, 부모님의 이혼으로 사회복지시설에 갑작스럽게 위탁되었을 때부터 줄곧 그래왔다. 난 당시 방학 때마다, 손가락을 접으며 부모님과 함께 자는 날을 기다렸다. 물론 며칠 후면 다시 떨어져야 하는 현실에 숨이 막히는 고역이 예상되더라도 견뎠다. 그러나 시설로 복귀할 때마다, 외로움은 실체 없는 괴물이라고 생각하게 되었다. 썩 행복하지 않은 방학을 보내면서 짧은 행복을 기대하는 마음은 고이 접어두게 되었고, 고독을 씻어내는 방법을 찾아보기 시작했다. 부모님 집에서 방법을 찾아보기 시작했다. 처음 떠올린 방법은 시설에 가기 싫다고 고집을 부리는 것이었다. 하지만 부모님의 상황을 알아버린 이후로 어리광 한 번 피워본 적이 없었던 나로서는 칭얼대는 말이 도저히 입 밖으로 나오지 않았다. 두 번째 방법은 외로움을 극복할 방법을 찾는 것이었다. 부모님 집에서 지냈던 시간은 대개 일 년에 고작 3일 정도였으니, 현실적으로 더 많은 시간을 보내는 시설에서의 삶을 인정하기로 했다. 그렇게 고독이 나와 떨어질 수 없는 형제라는 것을 체념하게 된 이후, 홀로 조용히 생각할 수 있는 환경을 구축하려고 분투할 수밖에 없었다. 그래서 여전히 가사는 없고, 편안하면서도 리듬감 있는 노래를 선호하는 편이다. (만약, 심장 소리보다 작은 노래를 들을 때면 복잡했던 머릿속이 터져버릴지도 모른다는 생각에 두려워할 때가 종종 있다.)

재즈가 내 인생을 바꿔놓았다고 단정 지어 말하기엔 어렵지만, 주체적인 삶을 살 수 있게 한 조력자로서 역할을 톡톡히 해내주었다. 내 삶을 풍성하게 채워준 것은 부정할 수 없고, 생활의 원천이라고 고백할 수 있을 만큼. 반면 주위 사람 중 일부는 다양한 장르의 음악을 듣지만 정작 고독을 씻어내지 못하는 상황에 노출되어 있다. 타인이 무슨 음악을 듣는지, 왜 그 음악을 듣는지에 대한 관심은 매체를 통해 나날이 증가하고 있지만, 정작 자신에게 물어보지는 않는 것이 안타까울 때가 있다. 현대인들은 노랫말에 끌려다니는 꼭두각시이기도 하지만, 노래를 도구 삼아 자신의 삶을 튼튼하게 구축할 수 있는 존재임을 이미 실감하고 있다. 불쑥 찾아오는 감정을 적절한 가사와 리듬에 실어서, 삶을 풍성하게 만들겠다는 의지를 재확인하고 각인해본 경험은 적어도 한번씩은 있지 않은가. 어제까지 나의 손과 발을 묶었던 실을 가져와서, 오늘은 기타 줄로 사용하는 삶을 사는 것은 어떨까. 나의 고독을 씻어줄 노래를 주체적으로 청취하는 태도는 아름다운 것이며, 누구도 침해할 수 없는 불가침영역이니까.

단칸방

젊은 날의 배고픔이 해소되지 않는 지금을. 서둘러 지나치고 있다. 창 안으로 들어오려는 빛이 접근하지 못할 만큼 빈틈없이 캄캄한 단칸방. 난 갓 내던져진 노루처럼 누워있다. 당장 아무것도 먹지 않으면 고통스러운 병에 정복당할까 싶어, 상아색 냉장고를 젖혔다. 내가 그토록 껴안고 있던 냉장고는 왜 전원이 들어오질 않았을까. 오랫동안 손때를 묻히지 않아서 고장이 난 걸까. 언제 넣었는지도 모르는 유리병 안엔 보리차 티백이 새까맣게 굳어있다. 냉장고 안을 더듬었다, 시큼하고 동그란 것이 집혔다. 토마토는 이미 반쯤 으깨져 서서히 빵을 축축하고도 붉게 적시고 있었다. 포장지는 어찌 정성스럽게 포개져 있는지 도통 알 수 없다. 도대체 이 햄버거를 포장한 사람이 어떤 이유로 근면함을 드러냈는지에 대하여 원망하고 싶어졌다. 눈가의 주름이 팽팽해지고, 최대한 입을 크게 벌려 한 입 베어 물었다. 누렇고 물컹거리는 양상추가 씹힌다. 분명 내가 기억하는 양상추는 잇몸에 냉기를 찌를 만큼 아삭한 채소였는데, 마치 과하게 익은 사과의 껍질을 씹는 것 같다.

호기롭게 열어젖혔던 입의 각도는 서서히 줄어들었지만, 다시 물었다. 한번 물은 먹잇감을 놓치지 않으려 데스롤(Death Roll)을 행하는 악어처럼. 이번엔 점액이 늘어지는 패티가 입술에 걸렸다. 입가엔 어느새 땀과 침으로 범벅이 되었다. 더 이상 먹는 횟수를 세는 것은 무의미하니, 기억하지 않기로 한다. 30초 뒤, 천장이 부담을 느낄 정도로 눈 깜빡하지 않고 전부 삼켜 냈다. 누워서 볼 수 있는 것이 천장밖에 없었던 탓이다. 최근 며칠 동안 밖에서 들려오는 소리를 그저 들을 수밖에 없었는데, 집 안에서 유일하게 소리를 내었던 시간을 보냈다는 생각에 기뻤다. 그리고 더 이상 무언가를 씹었을 때 발생하는 소음을 아랑곳하지 않게 되었다. 내가 먹는다는 것이 중요했으니까. 살아야 했으니까. 살아있다고 느껴야만 했으니까. 그런데 어젯밤까진 냉장고 안에 무엇이 있는지 궁금하지도 않았다. 하지만 새벽 5시 32분부터 서서히 흔들리기 시작했다. 온통 까맣던 집 밖에서 닭의 절망이 들려온 것이다. 더 이상 아침이 되었다는 사실을 외면할 수 없었다. 목이 갈라질 듯 울던 닭의 배가 고프다고 발악하는 모습은 경이로울 지경이었다. 난 여전히 소리를 지르지 못했으므로. 이 방에 누워있기 한참 전부터 더 이상 무언가를 씹는다는 것에 질려 버렸다고 홀로 주문을 달달 외우고 있었다. 그러나 효력은 불시에 멈추었다. 누군가와의 이별을 생각하면 하지 못한 말이 생각나, 침을 꼴깍 삼켜 버릴 때가 있었는데 그것 또한 실패로 간주하곤 했으니까. 심지어 목구멍을 넘기는 감각 역시 느끼고 싶지 않았다. 결국 실패 하나만을 생각하는 내 머릿속과는 달리 뱃속엔, 죄책감만이 가득 찼다.

그동안 집으로 찾아오는 사람은 사글세를 독촉하는 집주인과 경찰뿐이었다. 그리고 잠시 뒤, 누군가가 화에 못 이겨 몇 번 문을 걷어차고 돌아갔다. 분명 내가 먹어치운 것과 관련이 있는 사람이었다. 난 쥐 죽은 듯 숨소리도 내지 않고 두 손을 양쪽 귀에 얹었다. 오토바이의 시동이 켜지자 웅크렸던 몸을 조금씩 펴기 시작했다. 설마 햄버거를 잘못 배달한 기사였을까. 그때 초대하지 않은 손님이 부담스럽도록 날 덮쳤다. 배를 벅벅 긁어내려고 왔다고 했다. 일주일 전부터 쓸모없었던 위장과 쓸개와 간과 심장을 하나씩 쥐고 도무지 놓지를 않는 것이다. 잘못 배달된 햄버거를 먹었다는 이유만으로 장기가 제 기능을 한 것이 야속했다. 배탈은 얄밉게도 이때만을 기다렸나 보다.

어찌 되었든, 굶주림은 죄책감을 껴안아 해결했다. 더 이상 미련을 둘 것이 없다고 생각한 그때, 힘껏 동그랗게 뭉쳐진 전단지가 눈에 밟혔다. 가장 크게 보이는 열 한 개의 글자는 다름 아닌 「그는 당신을 사랑하십니다.」였다. 도대체 그가 누구길래 쉽게 사랑을 남발하는지 혀를 끌끌 찼다. 심지어 내가 누워있는 단칸방은 지옥인지, 천국에 있는 세입자인지 알지 못한다는 사실에 점점 속이 아려왔다. 만약 지옥이라면, 왜 지옥으로 추락한 나를 사랑한다고 위선을 떠는지 불만을 터뜨리며 분개했다. 아래엔 금색 띠 배경으로 얇게 인쇄된 문장도 보였다. 「당신은 죄인입니다. 회개하십시오.」 사랑한다던 그는 심지어 나를 조롱하고 있다. 하지만 할 수 있는 것은 없다. 그저 누워 반복되는 분노가 무력감으로 순환하는 모습을 지켜봐야 했다. 갑자기 복잡해진 머리를 부여잡고 바닥을 한참을 기다가, 방금 들여다본 활자들이 멈추지 않고 꿈틀거렸다. 진동이 멈추지 않는 머리를 부여잡고, 떨다가 그만 정신을 잃고 말았다.

당신은 죄인 입니다…. 당신은 회개해야 합니다…. 당신은 죄인 입니다…. 당신…은 ….

다음 날. 잠에서 깨버렸다. 내가 갇혀 있을 곳은 오직 한 곳만 허용된다는 이유로 그만 꿈속에서 쫓겨났다. 밖에선 이제껏 들어본 가장 큰 소음이 들려왔다. 확실한 건, 어제 낮에 들었던 오토바이의 배기음은 아니었다. 그리고 며칠간 아무것도 목구멍 아래로 삼킨 적도 없었다. 지난 경우와는 달리 죄책감으로부터 자유로운 상황이었다. 그러나 무엇이 철문 앞에 서 있는지 가늠조차 되지 않자, 불쑥 겁에 질렸다. 나는 서둘러 죄인을 자처하며 혼잣말을 바닥에 늘어놓기 시작했다. 신이여 나를 바라보고 있나요. 바라본다면 사랑한다는 거짓말이라도 하시오. 죄인은 방 안에서 울음소리를 낼 자격이 없는 것인가 묻고 싶소 ….

누군가 전동 드릴로 문고리를 갈아내고 있었다. 만약 방문을 박차고 들어와 왜 신선한 음식을 먹지 않았냐고 강요한다면 그것이야말로 최악의 상황이었다. 분명 죽음을 제외하고 다짐하는 상황은 없을 것이라며 예측했지만 틀렸다. 이번엔 눈을 감고 중얼거렸다. 보지 않으면 된다.. 이젠 주문을 일 초마다 외워야 한다…. 아까 우연히 본 전단지 문구를 떠올렸다. 열과 성을 다해 속으로 외쳤다. 지금 와서 소리 없이 죽음을 포기하는 것도 죄인일까. 난 이미 죄인이다. 죄인이야!

10분이 흘렀을까. 쾅. 굳게 닫혔던 정문이 폭죽의 심지가 타오르듯 서서히 연기로 둘러싸였다. 경찰들이 하나둘 소리를 으악 지르며 집 안 곳곳을 샅샅이 뒤지기 시작한 것 같다. 방금까지 죄인이라는 사실에 조용히 기쁨의 눈물을 훔쳐냈었던 것이 구원을 불러온 걸까. 마치 저 연기가 천국의 구름같이 느껴진다. 그런데 천국에도 먹구름이 있었나. 순간 아차 싶었다. 잠시 화장실에서 타일을 유심히 노려봤는데 그때 내 목소리가 새어나간 것이 틀림없었다. 저 좁쌀보다 작은 곰팡이도 손톱 크기의 공간을 부지런히 채워가고 있는데, 난 찬 바닥의 일부분만을 덥히고만 있었다는 사실에 차마 터져 나오는 웃음을 감출 수 없었다. 누군가 보지 않으면, 쉽게 잊히는 것은 매한가지인데, 부지런히 영역을 넓혀가는 의지에 가상함마저 느꼈으니까.

한 경찰이 벌어진 정문 틈 사이로 나를 발견했다. 난 떨리는 손으로 동그랗게 뭉쳐진 전단지를 천천히 그에게 펴 보였다. 그는 눅눅한 열한 개의 글자를 읽고, 특유의 표정을 전혀 감출 수 없었다. 난 개의치 않고 그저 소리를 낼 수 있다는 사실에 감격해서 말할 뿐이었다.

… 당신이 그토록 나를 사랑하는 사람이었나요. 그렇다면 무엇부터 회개하면 되는 걸까요.

경찰은 무언가에 정신을 잃은 듯, 말을 잃었다. 나는 앙상해진 팔뚝을 번쩍 들어 올리며 외쳤다.

나도 사랑받는 사람이었군요…. 찾아와줘서 고맙습니다!

조금 뒤, 경찰은 입을 열었다.

선생님. 어서 나오세요. 석 달이 넘도록 애타게 찾고 있었습니다. 무엇이 당신을 단칸방으로 가두었는지 같이 알아보겠습니다. 그러니 더 이상 자신을 밀어 넣지 마세요.

끝내, 놓지 않으려는 마음

무더위가 기승을 부리던 어느 여름 저녁이었다. 어두운 표정을 감추지 못한 그는 불쑥 나를 찾아와 전할 말이 있다고 했다. 마침 퇴근을 목전에 둔 시간이었으니, 어떠한 용건인지 빠르게 듣고 싶었다. 그러나 얼굴을 마주하고 의자에 앉은 지 5분이 넘어가기도 전에, 난 다짜고짜 일방적으로 퇴사 통보를 받았다. 2년을 넘게 다니던 회사에서 고작 5분만에 강제로 쫓겨난 신세였다. 처음엔 놀라서 눈물도 나지 않았다. 그간 매출과 신메뉴 개발에 힘을 쏟았던 시간이 눈 앞을 스쳤을 뿐이다. 그러나 아무 말도 하지 못했다는 무력감에 발걸음이 무거웠다. 광화문에서 집으로 오는 전철 안에서 하염없이 눈물을 흘렸다. 내심 눈물로 옷을 적셨다는 사실을 다른 사람들이 알아주길 원했다. 억울한 일을 겪었다고 소리치고 싶었다. 갑자기 엄마의 소식이 궁금했다. 전화를 걸었다. 막상 입을 떼지 못하자, 엄마는 내게 밥을 잘 챙겨 먹었는지 물었다. 광대뼈가 떨려오기 시작했다. 엄마에게 차마 실업자가 되었다고 말할 수 없었다. 난 여전히 잘 지내고 있다며 서둘러 엄마의 귀갓길을 걱정했다. 그러다 눈물이 또다시 왈칵 쏟아질 것 같아서 얼른 조심히 들어가라고 말한 뒤, 서둘러 엄지 손가락으로 연타해서 전화를 끊어냈다. 집 앞에 도착했다. 옷도 갈아입지도 않은 채로, 내 몸을 침대로 밀어 넣었다. 다음 날. 출근 시간에 맞춰 잠이 깼다. 눅눅한 침대에 누워 고개조차 세우지 않았고, 자괴감에 빠져 있었다. 그렇다고 밖으로 나가고 싶은 마음 역시 안중에도 없었다. 농수로 속에 갇혀 숨만 쉬고 있는 잉어가 따로 없다. 삶의 재미에 대하여 의문을 품을 즈음, 썩어빠진 정신에 밑도 있는 깨달음을 안겨줄 단어를 찾아보기로 했다.

그동안 단어 하나에도 쉬이 흔들리는 사람이란 것을 삶 속에서 무수히 깨달아 오지 않았는가. 필히 생을 연장하게 만드는 단어를 원했다. 최소한 나를 살게 할 강제력을 가진 활자가 도통 어디에 있을까 둘러보던 그때, 무언가를 발견했다. 만약 처음부터 단어가 수두룩한 백과사전을 집었다면, 정직이라는 말을 우선으로 찾아봤을 법하다. 난 어린 시절부터 정직한 삶을 위해 반듯하게 살라는 어른들의 말을 그대로 수용하며 자랐는데, 교과서 같은 딱딱한 조언일지라도 곧잘 흡수하려고 노력했다. 특히 경험이 담긴 조언일수록 최악의 결과를 초래하지 않을 것이라는 기대감 때문이었다. 그러나 착한 아이 콤플렉스에서 벗어나지 못했던 성인으로 살아가면서, 과연 정직正直한 태도는 희망 가득한 인생을 창출하는 것인지 불쑥 의문을 품게 되었다. 더불어 동음이의어 정직停職에 대한 반발심도 차올랐다. 결국 정직正直이라는 단어는 후보에서 제외했다.

집 안을 둘러보니, 두껍고 얇은 책 사이에서 밀착된 일기장이 보였다. 오랫동안 습기에 방치된 걸까. 조금 뒤 겉표지에서 반쯤 지워진 이름을 발견했다. 볼펜으로 한참을 세게 눌러 그으며 찰과상을 입혔다. 한 글자라도 휘갈기고 싶었던 내 욕망이 과격하게 표출되었다. 하얗고 연한 뒷장을 떼어보기로 했다. 종이 끝자락을 잡고 넘기려 하던 그 순간, 악의 가득했던 발언들이 그림자처럼 남아있었다. 얼굴이 화끈 달아올랐고 그만 확 뜯어 버렸다. 욕설이 획으로 나뉘어졌는데도 여전히 뾰족했다. 누군가를 장수하게 만들 수 있을 만큼 빼곡하게 채워져 있었던 것이다. 종이를 뒤집고 생각했다. 그래. 지금부터 빠르게 휘발하는 생각들을 문장으로 적어서 남겨보자고. 그것도 감정을 적확하게 담아낼 단어들을 조합해서 표현해보자고. 실업 급여를 받던 시절, 내가 침대에서 나뒹굴며 가져본 유일한 취미는 모르는 단어를 검색하는 것이었다. 그래서 지루한 하루를 타파할 수 있겠다며 좋아했다. 연필을 정성스럽게 깎았다. 그리고 매일 새벽마다 손목이 저릴 만큼, 종이를 한 가득 채웠다. 매번 뜯어왔던 종이의 수량은 기분에 따라 달라지긴 했지만, 꼭 모두 채워야만 마음이 한결 놓였다. 심지어 하고 싶은 말이 종이 모서리 끝으로 범람해도, 멈추지 않았다. (어느 날은, 머릿속에서 번뜩였던 단어와 문장이 사라진 것을 그리워하며 새벽을 넘긴 날도 있다.) 그러나 애석하게도 표현의 한계를 체감했다. 단순한 구조로 반복되는 문장도 여럿 보였다. 더 많은 단어를 내 품으로 끌어와야 했다.

다음 날, 도서관으로 가기 위해 집을 나섰다. 그런데 불쑥 소독 트럭이 옆집 골목에서 빠져나와 놀라게 하더니 천천히 멀어졌다. 오랜만에 마주한 일상은 흡사 장거리 지역에서 거주하는 단짝 친구를 만난 것처럼 따스했다. 어제는 어색했고, 오늘은 정겨운. 멍하니 멈춰서서 소독차가 지나간 자리를 쳐다보다가 슬며시 몇 바퀴를 배회했다. 불쑥 사람들이 시멘트 바닥 위를 걷고 있는 이유는 무엇일까 생각했다. 이렇게도 뜬금없는 질문을 자유롭게 던져볼 수 있었던 곳은 다름 아닌 거리였다. 도서관으로 가는 동안 많은 질문을 짊어지게 될까 부담이 되었던 탓인지, 다시 집으로 돌아갔다. 조금 전까지 가벼운 생각을 무겁게 느낀 이유를 찾기 시작했다. 내 옆을 지나간 건 무엇이었나. 나는 분명 도서관에 가려고 했었는데. 그렇다면 나는 왜 이 거리를 걸었나.

도로변 위로 풍성한 풀들의 탈출 욕구를 잠재우고 있는 울타리가 기억났다. 내 생각들도 하루가 다르게 덩치가 커져 버리는 바람에, 입이라는 울타리에서 빠져나오기 일보 직전이었으니. 결국 저 너머로 생각을 분출하는 삶을 살아야겠다고 결심하게 된 것이다. 비로소 거리는 무한한 질문과 영감을 발견하는 공간으로 변모했다. 거리에서 본 것이 많을수록 책상 앞에 앉아 있는 시간은 배가 되었다. 줄곧 엉덩이의 힘이 세져서, 나의 전반적인 삶까지 돌아보게 되었지만. 과거 나를 향한 조용하고도 일방적이었던 외침이 현실 속에서 메아리로 들려올 때도 기쁜 일이라며 반갑게 맞이하게 되었다. 그렇다면 거리를 포함한 내 창작의 원천은 또 무엇이 있었을까. 다름 아닌 분노와 고통이었다. 분노는 사건을 냉정하게 직시할 수 있게 도왔고, 고통은 넘실넘실 감정을 곱씹게 한 조력자였다. 나를 멀리서 바라보는 시선도 이러한 조력자들과 함께한 덕분에 가져볼 수 있었다. 따라서 나는 간절히 바란다. 일상을 다른 시선으로 보는 물안경을 끼고, 동반자와 함께 오랫동안 유영하는 날들을. 그리고 지속되는 무수한 감정의 내 외부에서, 연필을 쥐는 핍진한 삶을.

언덕 위로 날아간 참새雀

초록빛으로 이어진 길 위를 거닐다
미간이 찌푸려졌네

내 영역을 신나도록
넘어왔네

어느 짐승의 털 비린내던가
소리칠 때 그럴 의도가 아니라며

떠나려던 미풍이었네

젖어 뭉쳐진 털을 가엽게 여겼던
여린 참새의 굽어진 등을
가볍게 두드리고

살랑이는 목소리로
곧게 펴게 하려고

애를 썼네

그러나 참새는 알 수 없는 음성을
내뱉고

언덕 위로 날아가 버렸네

더 이상 무엇 하나 잡지 못할

미풍의 민망한 손바닥엔
쓰라린 구멍이 생겨 버렸네

바람아 듣거라

이번엔 외로움에 뭉쳐 눈물에 젖은
할머니의 손을 잡거라

기억하지 못했던
보지 못했던
높은 언덕의 정 냄새가 진하게 풍
긴다면

너가 날 대신해 참새를
어루만져준 덕분이라고 생각하네

참새가 언덕 위로 날아간 건
어쩌면 나에겐 행운이었네

만취

허름한 술집 안에서
소동이 있었다

한 사내가 실성한 채
퇴장을 알리며 문 밖을 나섰다

버드나무 탁자를 둘러앉은 사람들
이 진한 술 냄새로 다가와

걸음을 재촉했다

혼자 그리워하고 무기력한 노인
앞날을 가볍게 울어 넘긴 청년
그리고 침묵을 지키던 사내

한 모금의 양주를 마실 때
유일하게 입가를 넓혔다고
한 소녀가 말해주었다

천둥이
으름장을 놓은 뒤

사내는 독한 술을 가져오라
소리쳤다

함께 온 소녀의 말을
안주 삼은 뒤

굳어진 뒷목을 뒤로 젖혔다

짧았던 용기는
순간에 그쳐
파란 잔상을 남겼다

왼쪽 가슴엔
파란 멍이 물들었다

그러나 서러워하지 말게

후회를 짓는 표정이 길어져도
용기가 한 때의 추억이 되어도
소녀의 기대감을 짓밟아도

이슬비

정시(丁時)에 다다른 오후

울상을 한 먹구름이
안부를 전했다

주체하지 못해
여러 갈래로 나뉘어 떨어진 눈물이
슬픔의 호수를 흔들고

적막했던 표면 위엔
치마 모양의 분수가
유혹하고 있었다

만약 찝찝한 눈으로 묻는다면
시선을 뺏겼다고 해명한다

이유 모를 초조함은
미련으로 변모(變貌)된다

양화점 안 다락방을 지키고 있던
사내는 구두를 팔지 않는다며 손사
래를 치니 -
이미 알아차린 걸까

우산을 뜯어 놓은 개구쟁이들은
시원하게 맞으라며 장난을 치니 -
미리 알아차린 걸까

결집(結集)된 설움은
자칫 시련을

기화(氣化)된 추억은
자칫 악몽을

페트리코가 유독
유리병 밖으로 꺼내진
과일 젤리처럼 향긋했다

은밀히
매혹하기에 좋고

달려드는 물소처럼
빠른 발을 가진 생각들로
날 덮치기에 좋고

그러한 이유였을까요

맨몸으로 빗물을 받아낸 후에야
당신을 채웠습니다

한없이 나를 적신
당신입니다

여니

내 이름 다시 쓰기

1. 슬그머니
2. 나만 아는 나의 마음
   [illegible]
3. [illegible]
   [illegible]
4. [illegible]
   [illegible]
   [illegible]
5. [illegible]
6. [illegible]
   [illegible]
   [illegible]

슬그머니

나도 모르게 40대가 되었다. 어릴 때는 이쯤 되면 생을 마감하는 줄 알았다. 왜 그랬는지 모르겠다. 나도 그랬고 세상도 그렇게 대하고 있다. 보험 광고는 40대를 온갖 질병과 사건 사고의 대상자처럼 몰아가며 보험에 가입하라고 떠들어댄다. 국민건강보험공단에서 오는 우편물의 내용은 40대를 건강의 분기점처럼 써놨다. 암 발생 연령대가 낮아졌다며 불안을 조장하는 매스컴을 보고 있노라면 난 언제 어느 때 나의 생을 마감할지 모르니 유언이라도 적어 놔야 할 것 같다.

하지만 매일의 나는 여전히 부지런하지 않고 운동은 하지 않으며 술자리에서는 간에 헛개나무가 있는 20대처럼 술을 마셔도 다음날 멀쩡할 것처럼 행동한다. 오늘 하루만큼은 영양크림을 바르지 않아도 될 것 같고 옷집에서는 요즘 유행인 크롭티를 만지작해보기도 한다. 정말 사람이란 지난날의 영광을 쉽게 잊지 못하나 보다.

그래도 문득 내 나이를 실감할 때가 점점 많아진다. 옛날 영화를 10번도 넘게 보고 20대 때 들었던 노래들이 더 내 마음을 알아주는 것 같다. 친구들과 만나면 추억 얘기를 하거나 건강에 관한 지식을 더 많이 나눈다. 지인의 지병 소식과 그들 부모님의 부고 소식도 들려온다. 누군가 그런 말을 했다. TV에서 나올 법한 일들이 나에게도 벌어지면 그건 나이가 들었다는 증거라고. 남의 일이라고 생각했던 일들이 찾아와 허둥지둥하는 내가 한심하기만 하다.

청년도 아니고 중년도 아닌 '처어엉년[1]' 그 어디쯤 있다. 내가 느끼는 '나'와 사회에서 바라보는 '나'의 간격이 너무나 크고 난 그 사이에서 아슬아슬하기만 하다. 우당탕탕 시절을 지나 어느 정도 사회적, 경제적으로 안정됐을 것 같지만 그렇게 된 건 아무것도 없다. 오히려 잃어가고 잊혀가고 외면하며 더 모르겠다. 특히 '나'를. 사회적 시선에 맞춰 살아야 이래 저래 문제가 안 생기니 그렇게 살았다. 나는 내가 너무 소중한 사람이었지만 사회생활을 하는 동안에는 애써 숨기고 살았다. 하지만 알았다. '나'는 아무리 가려도 손가락 틈 사이로 삐져나오는 '빛'과 같은 것이라고. 빛의 강도가 어떨지 어떤 색일지 아직 모르겠지만 이제 그 빛이 쏟아져 나오게 내버려 두려고 한다.

이 속의 10편 정도의 글을 쓰면서 소멸할 것 같았던 나를 조금 찾았다. 감수성 깊은 글도 있고, 사회에 대한 비판이 담긴 글도 있다. 약자를 바라보는 측은지심도 있고, 주목받지 못하고 사라져간 존재에 대한 슬픔의 글도 있다. 그리고 가장 사랑하는 이와의 이별의 글도 있다. 난 이런 생각을 하고 이런 감성을 가진 사람이었다. 글을 쓰면서 오롯이 내가 된 것 같아 마음이 꽉 채워지면서 가벼워졌다.

슬그머니 들어버린 나이처럼 글쓰기도 슬그머니 시작되었다. 여기 글들에서 다시 '빛'을 찾으려는 나의 노력이 이 글을 읽는 분들께도 조금이나마 전달되었으면 하는 바람이다. 그리고 같이 '빛'을 찾아갔으면 좋겠다. 그 시작은 글쓰기로.

---

1 '노오력'과 같은 형태로 노령화된 청년을 가리키는 말. '두번째 마음 심리상담연구소(@another_mind_lab)'의 '마음사전 : 처엉년' 세미나 내용 중 단어 차용

나만 아는 나의 마음 - 쓰는 마음

요즘 초등학생들도 연필을 쓰는지 모르겠다. '샤파' 연필깎이 대신 검지만 한 문구 칼로 연필을 깎아 쓰던 시절, 고깔로 깎여 필통 속 가지런히 누워있는 네 자루의 연필을 보면 알 수 없는 희열이 들었다. 다음 날 학교에 가서 필통을 열고 어떤 연필부터 쓸지도 살짝 고민했다. 그게 무슨 고민스러운 일이라고. 간택의 시간이 끝나고 한 글자 한 글자 또박또박 써 간다. 글씨를 쓰면 손에 느껴지는 불규칙한 요철 느낌과 귀에 들리는 서걱거림이 이상하게 좋았다. 종이 질이 그다지 좋지 않았던 시절에 공책과 연필은 늘 애정 어린 말투로 투닥거리는 친구처럼 서걱서걱거렸다.

고학년이 되었을 때쯤 '바른손', '모닝글로리'에서 나온 공책은 옅은 노란색을 띠었고 코팅을 한 것처럼 반들반들했다. 100년이 지나도 종이 색이 바라지 않는다고 했다. 새로운 문명을 만난 것만 같았다. 글씨는 미끄러지듯이 써졌고 샤프를 쓸 때는 뽀드득 뽀드득 소리를 내기도 했다. 그동안 HB 혹은 B와 같은 진한 심을 썼다가 연한 심인 H로 연필을 바꿨다. 나의 글씨는 속삭이듯 사각사각거렸다.

이때부터였던 것 같다. 종이 질에 따라 감촉을 달리 느끼며 글씨를 썼던 것이.

나에겐 종이 질에 따라 안성맞춤인 펜이 따로 있었다. 혹여나 종이에 맞는 적당한 펜이 없으면 마음이 내키지 않아 공부가 하기 싫어질까 봐 각각의 펜의 종류, 가지각색의 펜을 필통에 넣고 다

냈다. 나의 베프는 필통만 팔아도 3만 원은 족히 넘을 것 같다며 우스갯소리도 했었다.

세월이 흐르고 이제는 펜보다 자판을 눌러 글을 쓴다. 적당한 거리를 종횡하며 종이와 펜의 감촉을 느끼는 것이 아닌, 타닥타닥 소리를 내며 자판 위에 내 손가락은 위아래로 오르내린다. 워드프로세서로 보기 좋게 편집된 가지런한 글씨를 보고 있자면, 손으로 쓴 내 글씨가 못생기고 어색할 때가 있다. 내 글씨마저도 부끄러웠던 시절이 있어 한동안 글씨를 쓰지 않았던 적도 있다.

하지만 일기만큼은 종이에 펜으로 쓴다. 하루 중 유일하게 내 마음과 손이 같은 움직임을 할 때다. 팔목에 힘이 안 들어가 처음에는 삐뚤삐뚤하다가도 펜의 감촉과 종이의 미끄러짐이 익숙해지면 이내 마음의 안정이 찾아와 이런 말 저런 말을 다 늘어놓게 된다.

마음이 동하여 손이 움직이고 싶을 때, 손의 자유로움을 담보해 줄 펜과 종이 그리고 이 둘의 콜라보는 나만이 아는 내 마음의 감촉이 아닐까.

뒤늦게 깨달은 사랑 - 김현식의 내 사랑 내 곁에

초등학교 때 가수 김현식이 세상을 떠났다. 그때 라디오에서 '내 사랑 내 곁에'가 어찌나 많이 흘러나왔는지. 그를 보내고 싶지 않은 DJ들의 울먹임도 기억이 난다. 모든 매체가 그를 추모하느라 열을 올렸지만 그의 노래가 나오면 난 저절로 볼륨을 낮추었다. 왜 그랬는지 모르겠다. 어릴 때 기억 때문인지 성인 될 때까지 김현식의 목소리를 듣는 걸 꺼렸다.

나이가 들어 우연히 TV 프로그램에서 가수 이승철이 '내 사랑 내 곁에'를 부르는 것을 보았다. 그동안 숱한 가수들이 이 '넘사벽' 노래에 도전했지만 내가 듣기엔 번번이 경지에 도달하지 못해서 고개를 도리질했다. 난 이승철을 우리나라 최고의 가수 중에 하나라고 생각했기 때문에 제대로 된 '내 사랑 내 곁에'를 들을 수 있을 것 같은 기대감에 부풀었다. 하지만 '멀까… 이 느낌은…' 아쉽게도 그의 노래는 기교가 돋보이는 '내 사랑 내 곁에'였다.

얼마 전 드라마 속에서 남자 주인공(조정석)이 '내 사랑 내 곁에'를 부르는 장면을 봤다. 뒤늦게 그녀의 사랑을 깨달아 버린 남자의 모습이란 참… 술김에 부르는 그의 모습이 다음날까지 잊히지 않았다. 난 홀린 듯 유튜브 앱을 열고 김현식의 '내 사랑 내 곁에'를 검색했다. 이 노래는 그렇게 나에게 왔다.

홀린 듯이 한참을 그의 목소리를 들었다. 지금 내 나이 즈음에 생을 마감한 김현식의 목소리에는 소년미가 어려있었다. 죽음을 앞둔, '난 이제 겨우 조금 알았을 뿐인걸'이라고 아쉬운 듯, 체념한 듯 말하는 소년의 목소리. 이 목소리를 차마 들을 수 없어 어린 시절의 난 라디오의 볼륨을 줄였나 보다.

그의 목소리를 알아듣게 된 '내 사랑 내 곁에'는 나에게 말해주고 있었다. '넌 너의 이별을 바닥까지 슬퍼해 본 적이 없구나,

애써 아무렇지 않은 척 덮으며 살았구나, 그래서 지금도 힘들구나…'라고. 내가 할 수 있는 건 뒤늦은 깨달음과 한숨뿐.

뒤늦게 사랑을 깨달은 이는 중얼거리듯 말한다. "내 사랑 그대 내 곁에 있어줘 … 힘겨운 날에 너마저 떠나면 비틀거릴 내가 안길 곳은 어디에"

靑을 펼칠 수 없는 세상에서의 푸르르고 싶었던 情 - 유덕화의 '천장지구'

홍콩 영화에 낭만을 품은 사람을 종종 만난다. 나 역시 할리우드 영화보다 홍콩 영화를 보고 자란 세대로 지금도 장국영, 유덕화, 양조위를 보면 형언할 수 없는 아련함으로 내 마음은 이미 세피아빛이다. 그런 감수성을 선물한 사람은 다름 아닌 친언니였다. 언니는 당시 비디오테이프 도매업을 하는 회사에 다녔는데 덕분에 대여점으로 보내지기 전에 따끈따끈한 신작을 실컷 볼 수 있었다. 대부분이 폭력물이어서 청소년 관람불가였지만 언니는 나를 꼬옥 옆에 두고 봤다. 가끔 심한 장면에서는 눈을 가려줄 뿐.

언니와 나는 유덕화를 좋아했는데 영화의 마지막은 거의 그가 다치거나 죽었다. 어린 마음에도 어찌나 슬프던지 엔딩 크레디트가 올라가고 알아들을 수 없는 광둥어 노래가 나오는데도 비디오 플레이어의 STOP 버튼을 누를 수가 없었다. 언니는 엉엉 울고 영화가 끝나면 감정이 다시 돌아왔지만 난 멈추지 않고 계속 생각했

다. '그는 왜 그렇게 살고 죽을 수밖에 없었을까.'

그런 궁금함이 희미해질 때쯤 홍콩은 중국에 반환되었고 난 K 대학의 중국 관련 학과에 입학했으며 우리나라는 IMF를 겪게 되었다. 남자 선배들은 도망치듯 군대에 갔고 여자 선배들은 휴학을 하거나 아르바이트를 하느냐고 과방이나 동아리방에 발길을 끊었다. 수업에서도 홍콩 반환의 이슈는 레포트 주제였는데 이것저것 읽어보다가 당시 홍콩인들의 분노와 무력감에 대한 글을 보게 되었다. 희미해졌던 그 시절의 홍콩 영화가 마음에 다시 소환됐다.

영화 '천장지구(1990)'의 아화(유덕화)는 폭력배다. 어머니는 그가 어렸을 때 자살했고 이모들(아화 어머니는 거리의 여자였고 그곳에서 동고동락하는 여인들) 손에 자란다. 태어날 때부터 정해진 환경과 사람들의 시선들로 아화의 삶은 또래 청년처럼 푸르지 못했다. 오토바이 폭주를 하며 절도와 폭력 속에서 사는 아화는 우연히 조조(오천련)를 만난다. 평생 자신의 생일도 모르고 살았던 그는 이제 과거를 청산하고 새로운 삶을 살고자 계획했지만, 결국 그 과거가 발목을 잡고 길 위에서 죽음을 맞는다.

다시 본 영화 속 '아화'에서 선배들의 모습이 보였다. 발버둥쳐도 달라지지 않는 현실과 내 잘못 내 실수가 아닌 일들을 오롯이 감내해야 하는 삶이었다. 어떤 선배는 부모님의 사업 실패로 빚쟁이들 때문에 학교에 나올 수 없었고 결국 제적을 당했다. 다른 선배는 아버지의 자살로 하루아침에 대학생에서 가장이 되었다. 나 역시 학자금 대출을 위해 학기마다 은행 직원의 암묵적인 무시를 견뎌야 했고, 수업을 제외한 시간은 모두 아르바이트로 채웠다. 홍콩 청년들은 19세기 청나라 시대 잘못을 그대로 겪어 내야 하는 세대였다. 자신은 영국인이라고 생각하고 살아온 홍콩의 젊은이들은 정체성의 혼란을 겪었고 중국으로 반환 후 몰아칠 일에 대해 두려워하고 무기력했다.(2020년 7월 1일 시행된 '중화인민공화국 홍콩특별행정구 국가안전수호법'으로 이들의 두려움은 현실이 되었다.) 이제 국가가 나를 지켜주지 못한다는 불안으로 부유한 홍콩인들은 이민을 선택했다.

시간이 흘러 나도 청년에서 중년이 되었다고 느껴질 때쯤에 '천장지구'를 다시 보게 되었다. 청춘을 펼쳐보지도 못하고 생활전선에서 청년들이 죽는 사고가 줄줄이 일어나 마음이 참담했을 때였다. 대부분이 또래들에 비해 일찍 부모와 생계에 대한 책임감을 나눠야 했지만 그럼에도 불구하고 꿈을 간직한 청년들이었다. 이번에는 '아화'의 죽음에 더 몰입하게 되었다. 특히나 영화의 마지막 장면은 청년들의 죽음을 대하는 이 시대를 보는 듯했다.

영화 속에서 아화는 오토바이를 타고 다닌다. 작은 홍콩에서 아화의 오토바이가 다니지 않은 길은 없으리라. 아화는 그 길 위에서 피를 흘리며 무참히 죽는다. 그를 찾는 조조는 아스팔트 길을 뛴다. 구두를 벗고 뛰는 그녀의 발에는 피가 흐른다. 조조는 고가도로를 뛰어 내려가면서 화면에서 사라지고 수많은 차량이 줄지어 텅 비었던 고가도로를 채운다. 밤사이에 어떤 한 청년이 길에서 죽어갔지만 무심한 듯 아침 해가 떠오른다. 애초에 그런 청년이 있었는지도 몰랐던 것처럼 세상은 무언가를 위해 서두른다.

영화의 마지막 장면과 사고를 당한 청년들의 죽음이 겹쳐졌다. 모든 청년의 '高스펙 쌓기'가 당연한 세상. 사고를 당한 청년들은 사회적 위치가 삶의 기회를 제공하고 그 기회로 인해 다시 사회적 위치가 결정되는 순환고리에 속하지 못했다. 순환고리 밖에서 생계를 위해 찾을 수 있는 일은 생존을 위협받는 일이 대다수다. 선택의 여지가 없다는 이유로 이용당하고 잘 모르니 지저분하고 위험한 일에 노출된다. '다 너를 위한 일, 일 배우려면 해야 하는 것, 정년보장 같은 달콤한 유혹'이라는 위선 속에서 청년들은 죽어가고 있었다. 잘못된 사회시스템으로 죽어간 청년들을 위해 '잊지 않겠습니다'라고 포스트잇을 붙여보지만, 이내 기억에서 희미해지고 마음속에 포스트잇은 날아가 버린다. 청년들이 죽어간 공간은 다른 무엇들로 채워지고 그들은 잊히기 위해 태어난 존재가 되어버린다.

무력감을 안고 살던 세대가 위선의 세대가 된 것은 아닌지 돌아보게 된다. 어린 시절 곰곰이 생각했던 '그는 왜 그렇게 살고 죽을 수밖에 없었을까.'라는 질문은 이제 '무엇이 그를 그렇게 살고 죽게 했을까.'로 바꾼다. 이제 현실 속 아화가 선명해질 것 같다.

멸치의 꿈

검푸른 바다를 휘몰아치며 헤엄칠 때 나는

꿈을 꾸었다

날아오르고 싶다고.

그물에 걸려 올라갈 때 나는

꿈을 꾸었다

태어난 이유만큼 살고 싶다고.

싱크대 구멍으로 버려질 때 나는

꿈을 꾸었다

하수구 검은 물에서라도 다시 헤엄치고 싶다고.

썩은 음식물이 토해내는 물로 겨우 버티는 나는

여전히 꿈을 꾼다

다시는 꿈을 꾸지 않게 해달라고.

쓸모를 다 하지 못하고 버려진 것들에 늘 마음이 쓰인다

수확 때 자루에 담기지 못하고 夏至 태양 아래 바짝 말라버린 감자를 발견했을 때

새 종이컵 100개가 비닐에 입혀진 채로 납작하게 밟혀서 버려진 걸 봤을 때

잉크 가득 찬 모나미 153이 자동차 바퀴에 깔려 박살이 났을 때

립스틱 자국만 묻은 채 불에 닿지도 못하고 땅에 떨어져 있는 담배 한 개비를 봤을 때

너무 많은 사람과 너무 많은 말에 휘둘린 날은 문득 '내가 무엇을 하려고 태어났나'라는 생각이 든다. 이번 생에서 소명의식 따위를 찾고 싶은 것인지 아니면 남에게 나의 쓸모를 보여주기 위해 사는지 혼란스럽기만 하다. 차라리 어릴 때부터 "넌 꿈이 뭐니?"라는 말이나 주입하지 말지. 꿈이 없다고 하면 걱정 어린 눈으로 쳐다보지나 말지. 남 듣기 좋은 꿈을 실현시키기 위해 참 열심히도 사는 것만 같다. 난 아직 무엇을 하려고 태어났는지도 모르겠는데 매일 수많은 사건 사고가 일어나고 죽음은 늘 가까이 있다는 말이 실감될 때면, 이러다 나도 태어난 이유도 모른 채 바짝 마르고, 밟혀 버려지고, 박살 날까 두렵다.

세상도 나를 흔들고 나도 나를 흔든 어느 날, 죽음을 생각하면서도 배는 고프다며 또 한 끼를 때우는 부조리를 느끼면서 설거지를 하다가 배수대로 흘려 내려가지 않은 실멸치 한 마리를 보았다. 저 멸치도 꿈이 있었을 텐데 푸른 바다에서 생을 마감하지 못하고 인간에게 도움을 주지도 못하고 결국 저렇게 버려졌건만, 쓸모를 다한 줄도 모르고 무슨 미련이 남아서 저렇게 버티고 있나 하는 생각이 들었다. 한참을 물끄러미 멸치를 바라보았다. 그리

고 멸치도 나를 바라본다. '너도 왜 그렇게 버티고 있나…'

똑, 똑, 똑…

물방울 떨어지는 소리가 귀에 들리고 멸치는 강한 물살과 함께 쓸려 내려간다. 난 어디로 쓸려 가고 있을까…

타인이란 지옥 속에서 살아가기

지옥이라고 하는 공간은 아마도 견디기 힘든 곳, 벗어나고 싶은 곳일 것이다. 나에게 지옥이란 '생각하면서 사는 것'이 아닌 '사는 대로 생각하는' 사람들이 모인 곳이다.

난 학부부터 대학원까지 학교 내에서 할 수 있는 아르바이트와 각종 조교를 하고 등록금과 용돈을 벌었다. 덕분에 교직원 선생님들과도 친분을 쌓을 수 있었고 그들만의 세상에 대해 자세히 들을 수 있었다. 한 조직에서 30년 넘게 근무하는 사람들. 그런 '어른'들을 모시고 이제 막 교직원을 시작한 선생님들 사이에 끼어 그들의 이야기를 들었다. 본부관에서 행해지는 불합리한 관습들을 다 깨버리겠다며 새로운 조직문화에 대해 나누었다. 팀원들끼리 무조건 같이 밥을 먹어야 하고 신입들끼리 모여 밥만 먹어도 '저 녀석들, 무슨 작당 모의를 하려고 저래?'라는 색안경으로 바라보는 대학 조직문화 속에서 타성을 깨뜨리려는 의지는 멋진 용기로 보였다.

시간이 지나 선생님들은 대리로 승진하였으며 나는 모교를 떠나 다른 대학의 교직원으로 일하게 되었다. 말로 들었던 그들만의 리그를 직접 체험하는 시간. 그동안의 간접 체험은 전혀 도움이 되지 못했다. 교직원 특유의 마인드 "왜 바꾸려고 해… 지금까지 아무 문제 없었는데… 시키는 대로 해"라는 메시지가 언어적 비언어적으로 수없이 변주되어 나의 두통을 일으켰고 직급으로 누르는 직장 내 괴롭힘도 서슴없이 일어났다. 결재는 자기 기분에 따라 했고 일이 진척되지 않으면 다 내 탓이었다. 새로운 방법을 찾는 의견마다 귀찮다는 듯 "그냥 하던 대로 해"라며 '파블로프의 개' 조건반사 같은 멘트가 팀장 입에서 줄줄줄 나왔다. 윗사람 비위를 맞추는 DNA가 없는 나로서는 그곳은 지옥이었다. 매일 싸움의 연속이었다. 근속연수 25년의 팀장은 살던 대로 사느냐고 한글과 엑셀을 다루지 못했지만, 연봉은 1억에 가까웠다. 책임 회피와 부하직원 탓은 연봉 10억급이었다.

나에게도 다섯 명의 동기가 있었다. 비합리적인 순간을 피할 수 있도록 도와주고 서로를 위로했다. 하지만 정년보장이라는 유혹 앞에서는 동기는 없었다. 지옥의 일부가 되기 위해 결심한 사람들. 동기 중의 한 명은 동기 단톡방의 내용을 팀장에게 보여주는 등 프락치 노릇을 하면서 정직원이 되었다. 그는 동기들에게 가장으로서 그런 선택을 할 수밖에 없었던 자신을 이해해 달라고 하였다. 또 다른 동기는 그 해에 무기계약직이 되었다. 4월에 전환됐는데 우리는 그 사실을 11월에나 돼서야 알게 되었다. 좋은 일인데 우리 사이에 왜 말하지 못했냐고 묻는 질문에 답은 간단했다. "팀장님이 함구하라고 했어요…" 11월까지 무기계약직 전환을 함구했던 동료는 6명이 더 있었다. 사무실에는 오랫동안 참담한 공기가 정체해 있었고 동기 단톡방은 단단히 침묵했다.

지옥 속에서 난 너무 순진했고 이제 아무도 믿을 수 없게 되었다. 나는 어떻게 살아가야 할까? 실존의 고민하고 있었을 때, 이탈로 칼비노의 『보이지 않는 도시』를 읽었다. "살아 있는 사람들의 지옥은 미래의 어떤 것이 아니라 이미 이곳에 있는 것입니다. 우리는 날마다 지옥에서 살고 있고 함께 지옥을 만들어 가고 있습니다. 지옥을 벗어날 수 있는 방법은 두 가지입니다. 첫 번째 방법은 많은 사람들이 쉽게 할 수 있습니다. 그것은 바로 지옥을 받아들이고 그 지옥이 더 이상 보이지 않을 정도로 그것의 일부분이 되는 것입니다. 두 번째 방법은 위험하고 주의를 기울이며 계속 배워 나가야 하는 것입니다. 그것은 즉 지옥의 한 가운데서 지옥 속에 살지 않는 사람과 지옥이 아닌 것을 찾아내려 하고 그것을 구별해 내어 지속시키고 그것들에게 공간을 부여하는 것입니다."[2]

저들은 지옥에서 살면서 첫 번째 방법을 선택했다고 이해하기로 했다. 난 두 번째 방법을 선택했을 뿐 각자의 선택은 틀린 게 아니니까. 하지만 가끔 두 번째 방법을 함께 모의했던 모교의 교직원 선생님들이 그리웠다.

시간이 흘러 새내기들이 어느새 졸업생이 되고 그들도 밥벌이의 고됨을 호소할 때쯤에 난 모교로 강의를 나가게 되었다. 나의 '동지'였던 선생님들이 보고 싶었다. 그들은 과장을 지나 차장급이 되었고, 어떤 이는 능력이 좋아 팀장이 되어 있었다. 어찌나 하소연을 했는지 곧 강의를 가야 하는데 목이 깔깔했다. 내 얘기를 옅은 미소로 듣고 있던 한 선생님이 헤어질 때 나의 안녕을 바라며 이렇게 말했다. "왜 그렇게 열심히 해… 누가 알아준다고… 너 몸만 상해" 난 그제서야 옅은 미소의 의미를 깨달았다. 자신들

2 이탈로 칼비노, 『보이지 않는 도시들』, 이현경, 민음사(2019), p.208

의 신입 시절 같은 모습이라 기특해하는 미소인 줄 알았건만 그의 미소는 타성에 젖은 '어른'이 주는 비웃음이었다. 이제 지옥의 일부가 되어버린 선생님. 본부관으로 사라질 때까지 난 그의 뒷모습을 보았다. 쓸쓸함의 한숨이 나왔다.

동지인 줄 알았다가 실망하는 것도 지쳐 갈 때쯤에 나도 책임급이 되었다. 팀원에게 좋은 책임이 되어야겠다고 생각했고 내가 겪었던 설움들은 절대로 행하지 않겠노라고 다짐했다. 신입들은 하나하나 가르쳐야 했고 일하는 방식을 이해하지 못하면 설득했다. 내 노하우는 교과서처럼 통했고 일에 대한 나의 가치관이 사람들에게 전염되어 업무적으로 성과를 내었다. 너무나 정신없이 바빴던 어느 날, 우리 일에 대해 근본적인 질문을 하는 신입의 질문에 당황했다. '하필 그 질문을 이때…' 살짝 짜증도 났다. 난 귀찮다는 듯이 대답했다. "다른 대학들도 다 그렇게 해. 바쁜데 궁금한 것도 많다."

등에서 번지는 오싹한 기분. 번뜩 영화 '홍등(1992)'이 생각났다. 청나라 시대에 신교육을 받은 공리는 진대감의 네 번째 첩이 된다. 여성을 노리개로 취급하는 가부장제에 저항했던 공리가 점점 진대감의 간택을 받기 위해 다른 부인들에 대한 질투와 거짓을 서슴지 않는다. 권력을 갖기 위해 점차 가부장제에 젖어 든다.

타성에 젖지 않기 위해 노력하는 사람이라는 나의 자부심은 졸지에 오만이 되었다. 서태지와 아이들의 '환상 속의 그대' 가사처럼 "그대는 방 안 구석에 앉아 쉽게 인생을 이야기하려" 했던 것은 아니었을까. 영화 속 공리는 자신과 현실을 깨닫고 결국 미쳐버리는데 나는 스스로에 대한 실망감으로 미쳐버릴 수 없지 않겠

나. 다시 신입에게 다가가 질문에 대해 차근차근 답했고 지금까지 문제점을 바꾸지 못한 어른들을 대신해서 사과했다.

잠시 밖으로 나와 영화 마지막 장면의 공리처럼 느린 걸음으로 캠퍼스를 걸으며 생각했다. 나도 모르게 피식 웃음이 나왔다. 나 역시 누군가에게 지옥이 될 수 있다는 점을 간과했던 나를 비웃어 주고 싶었다. 지금까지 나의 반면교사였던 '어른들'이 옅은 미소를 지으며 스쳐 지나갔다. 다시 '보이지 않는 도시'를 꺼냈다. 난 사는 대로 생각하지 않기 위해, '나에 대해 위험하고 주의를 기울이며 계속 배워 나가려' 한다. 그리고 미치지 않기 위해.

두려움은 피할 수 있을까

업무 상, 대학 입학에 직간접적으로 연관된 사람을 만나 진학 상담을 한다. 이전에는 대학수학능력시험이 대학 입학의 유일한 방법(전형)이었지만, 지금은 3~4개 전형이 있고 대학마다 방법이 조금씩 달라 상담을 필요로 하는 학생, 교사, 학부모 등을 많이 만나게 된다. 그들이 들려주는 건 진학과 관련한 것처럼 보이지만 모두 인생 이야기이다. 학생은 고교 생활의 인생, 교사는 제자들의 인생을 이야기한다. 학부모의 이야기에는 자녀와 자신의 노고가 담겨 있다. 난 그들의 이야기를 듣는다.

긴 시간이 흐른 지금까지도 기억에 남는 아이가 있다. 학생부를 건넨 아이는 여느 아이와 다름없이 부끄러운 얼굴을 하고 있었다. 상투적인 말로 상담을 시작했다.

"어느 학과를 지원하실 생각이세요?"

아무리 친절한 말을 보내도 대학 관계자 앞에 앉은 학생은 주눅이 들 수밖에 없다. 귀여운 아이의 얼굴을 보고 내 눈은 학생부로 내려갔다. 학생부 제일 첫 장에는 이런저런 정보가 있는데 제일 눈에 띄는 건 출결 상황이었다.

'1학년 때 무단(미인정)결석이 5번이라니…'

내 눈이 고정된 곳에 아이의 눈도 따라왔고 '볼 것을 봤구나' 하는 아이의 한숨이 느껴졌다.

"이유가 있었어요?"라고 묻는 나에게 아이는 "대학 가기 힘들까요?"라고 대답했다.

다시 물었다. "이유가 있었어요?"

그제야 아이는 울먹이며 말했다. 친했던 친구들이 어느 날부터인가 왕따를 시키고 정신적으로 괴롭혀서 학교에 가기가 너무 싫었다고 했다.

마음속에서 깊은 탄식이 나왔다. 피해자가 피해야 하는 지긋지긋한 아이러니. 자신에게 위해가 되는 상황에서 인간이 본능적으로 할 수 있는 행동은 피하는 것이다. 당시 아이가 할 수 있는 것이라고는 피하는 일밖에 없었을 것이다. 그 본능적인 행동의 결과가 대학 진학과 연관되어버린 현실을 아이는 고스란히 떠안고 있었다. 게다가 아이는 맞서 싸우지 않고 피했던 자신을 탓했다. 그때 자신의 행동으로 대학을 갈 수 없을까 봐 과거의 자신을 탓하고 있었다.

박사과정 시절, 모 대학의 저명한 교수님의 프로젝트에 참여했지만 난 적응하지 못했다. 내 공부는커녕 수업 준비도 제대로 못하고 프로젝트로 밤새는 날이 많았다. 그리고 연구실의 문화는 내가 겪어 보지도 못했던 군대 문화였다. 교수의 말 한마디 한마디에 복종해야 했고, 식사와 출퇴근은 자유롭지 못했으며, 폭언은 견뎌야 했다. 실수를 하거나 자신의 마음에 안 들면 교수는 나지막한 목소리로 '넌 인생의 루저가 될 것'이라고 반복해서 말했다. 교수의 발걸음 소리만 들어도 심장이 심하게 뛰었고 밤에 잠을 잘 수가 없었다. 난 연구실에 갈 수 없었다. 가더라도 교수님과 최대한 마주치지 않게 다녔다. 결국 난 프로젝트의 중간보고 이후 퇴출당했다. 그 프로젝트에 소개해 준 지도 교수님을 볼 면목이 없었고 앞으로 학위를 받지 못할까 봐 너무 두려웠다. 소위 '그 바닥'에서 소문이 날까 무서웠다. 왜 더 열심히 하고 더 잘 적응하지 못했는지에 대한 자책으로 매일 울었다. 교수가 나를 괴롭혔고 나도 나를 괴롭혔다.

아이의 모습에서 울고 있는 내가 보였다. 지금은 괜찮은지 물었다. 아이는 고개를 끄덕였다. 대학을 못 가는 건 아닌지 걱정해야 하는 대상은 그들이라고, 이런 상황을 극복한 건 정말 대단한 일이라고, 그런 너를 칭찬해 주라고, 그 자신감으로 무엇을 해도 정말 잘할 수 있다고 그렇게 말해주었다.

서울로 돌아오는 기차 안에서 많은 생각이 교차했다. 무슨 말을 더 해줬어야 했던 건 아닐까. 아니면 내가 너무 감정적으로 아이에게 말했던 건 아닐까. 속내를 알 수 없이 기록된 텍스트만으로 아이들의 노력이 평가받고 대학 진학이 결정되고 있다는 사실이 참담했다.

지금도 문득 그 아이가 궁금할 때가 있다. 대학을 졸업했을 시기인데 그때 상담했던 나를 기억한다면 이제라도 말해주고 싶다. 잘 살고 있기를. 타인의 가시로 인해 너무 일찍 웅크림을 배워 버린 자신을 쓰다듬어주길. 그때 웅크린 자신이 너의 전부가 아니라는 걸 기억하길. 다시 웅크러져 버리고 싶은 날을 만나면 너무 오랫동안 그렇게 하지 않기를. 웅크러졌다가 조금씩 펼쳐진 자신이 그 어떤 누구보다도 아름답게 변해있다는 걸 기억하길. 말해주고 싶다.

이제는 나에게도…

한 사나이가 있다

영화 '우리들의 행복한 시간(2006)'에서 사형수 역할을 했던 배우의 이야기를 들었다. 죽음을 마주해 본 마음. "전혀 몰라도 되는 감정의 길이 뚫려버린" 느낌이라고 했다. 아빠가 돌아가시고 나의 몸과 마음에는 사랑하는 사람을 잃은 감정의 길이 뚫려버렸다. 슬픔이라는 단어로는 충분히 표현될 수 없는, 싱크홀처럼 거대하게 뚫려버린 감정이 지금도 내 것이 아닌 듯해서 깊이 들여다볼 용기가 없다. 이전에도 난, 그런 감정은 전혀 몰라도 되는 것처럼 살았다. 한심하게도.

당연했다. 모든 것이. 출근할 때 '잘 하고 오라'는 아빠의 목소리. 퇴근하고 집에 들어서면 아침에 본 딸을 마치 3년 만에 본 것처럼 반색하며 웃던 아빠의 웃음. 우리의 밤 인사는 "내일 만나"였다. 당연한 내일. 단 한 번도 아빠가 없는 내일을 생각해 보지 않았다. 오늘 아빠랑 밥 먹을 때 무심하게 먹어도 괜찮았다. 내일 밥 먹을 때 무심하지 않으면 되니까. 오늘 아빠랑 신경전을 벌이고 잠이 들어도 괜찮았다. 내일 화해하면 되니까. 이제는 당연하지 않은 내일. 지금에서야 생각나는 잘못을 만회할 수 있는 내일에… 아빠는 없다.

아빠와 나는 서로에게 사랑이 되었다. 철없던 시절, 나는 나쁜 남자와 이별하고 분함과 미련의 양극에서 휘청거리며 온몸과 맘을 다 소진하고 있었다. 헤매고 말라가던 어느 날, 속삭이듯 어릴 적 아빠의 기억이 떠올랐다. 혹시나 닳을까 조심조심하며 내 머리를 쓰다듬었던 아빠의 손길, 가끔 아무 말 없이 내 등을 토닥토닥했던 그 손길을 잊어버리고 있었다. 그런 손길을 간직한 내 몸을 지나가는 인연을 미워하는 데 쓰고 있었다. 그날 이후 난 따뜻하고 꼿꼿한 사람이 되기로 결심했다. 그리고 아빠에게 작은 바람에도 흔들리지 않는 아름드리나무가 되어 드리고 싶었다.

아빠는 새로운 사업을 하겠다며 한동안 다른 세상에 사는 듯했다. 연봉 30만 원의 시절을 2년 정도 겪고 엄마는 도저히 안되겠다며 작은 가게를 열었다. 그래도 사업을 하자는 사람들의 꼬임은 그치지 않았고 어느 날은 밤늦은 시간까지 아빠를 찾아와 설득했다. 그날 이후로 사람들은 오지 않았고 나는 잊어버리고 살았다. 시간이 한참 지나 엄마한테 들은 말로는, 아빠가 사람들과 만나 다시 사업을 하겠다고 합의하고 돌아왔는데 깜깜한 밤중에 가게 안에 혼자 앉아있는 나를 보고 '내가 지금 무슨 짓을 하고 있나…'하며 크게 자책했다고 한다. 아빠는 바로 그들과의 관계를 정리했고 다시 떳떳한 가장이 되었다. 꼿꼿한 딸과 떳떳한 아버지는 서로에게 구원이 되어 주었다.

두 강건한 나무가 서로에게 의지하는 삶이 동화 속 엔딩처럼 '그들은 오래오래 행복하게 살았습니다.' 로 될 줄 알았지만, 덩그러니 남아버린 아름드리나무는 홀로 서는 연습 중이다.

아빠가 없는 매일의 나는 단단한 사랑의 땅을 걷다가 가끔 튀어나 온 후회에 걸려 넘어지며 살고 있다. 나의 술친구이자 유일한 내 편이었던 아빠를 잃은 마음을 달랠 길 없어 쓰고 또 쓰다가 아빠에게 주고 싶은 시를 쓰게 됐다. 꼬꼬마였던 시절에 장염으로 입원했을 때, 난 병실에 어른들에게 매일같이 아빠 자랑을 했다고 한다. "우리 아빠는 키도 크고 덩치도 엄청 커요! 우리 아빠는 다 이겨요! 슈퍼맨처럼요!" 그때도 지금도 영원히 아빠는 나에게 슈퍼맨이다.

한 사나이가 있다.

한 소년이 가고 있다.
해 질 녘까지 궂은일을 하고 돌아오는 엄마를 홀로 기다렸던 소년이었다.
남편과 사별 후 전쟁으로 장남까지 잃어야만 했던 엄마의 거친 손을 잡고 노래를 불렀던 소년이었다.

한 청년이 가고 있다.
징그럽게 가난해서 쉴 새 없이 허리를 구부렸던 청년이었다.
어린 신부와 함께 서울살이를 위해 작은방 한 칸을 소원했던 청년이었다.

한 중년이 가고 있다.
사람 좋아해 때론 마누라 속 썩이고 자신도 속 썩었던 중년이었다.
잔정이 많아 주변에 사람이 많아도 결국 외로움을 받아들여야 했던 중년이었다.

한 노인이 가고 있다.
곡기를 끊으면 죽는 걸 알기에 그렇게 싫다던 죽을 꼭꼭 씹어 먹는 노인이었다.
어릴 땐 살기 위해 먹었던, 말년에는 죽기 싫어 먹었던 죽이 싫은 노인이었다.

한 사나이가 있다.
자신의 불행에 눈물을 흘렸지만 끝까지 죽음에 자신을 내주지 않았던 사나이다.
이제는 영원한 슈퍼맨으로 남은 사나이가 있다.

시작을 향해 멈춰선 발걸음

새해가 채 한 달도 남지 않은 그 겨울, 나는 다른 일정 때문에 오늘은 사무실에 안 계신다는 팀장님께 핸드폰으로 전화를 걸었다. 행정실 건물 밖 사람들 없는 한적한 벽면에 기대어, 찬바람 너머 오전의 햇살이 주는 따뜻한 기운을 더듬으며 통화연결음을 들었다.

"팀장님 안녕하세요. 다름 아니라 오늘 꼭 드릴 말씀이 있는데, 통화 가능하세요?"

팀장님은 많이 바쁘시진 않은지 다행히 바로 전화를 받으셨다.

드디어 그렇게 눈물 삼키며 벼르고 벼르던 말을 하는구나.

"팀장님 저 일 그만두려고 합니다. 직접 뵙고 말씀드려야 하는데 오늘 안 계셔서 전화로 말씀드리는 점 죄송합니다. 1월 1일부로 퇴사하겠습니다."

"어~… 그래? 그만둔다고? 잘 모르나 본데 내부 규정상 한 달 전에 사표 제출해야 해. 이번 달 말까지는 안 될 거 같은데?"

다른 직원들이 그만둘 때는 별다른 사정이 없어도 일주일 만에 퇴사시켜주거나 한 달 가까이 밀린 월차 다 쓰게 해주더니 다짜고짜 규정 얘기다. 그렇게 몇 번의 같은 대화가 오갔다.

“팀장님, 제가 어제 고용노동부에 전화로 상담했더니 회사에서 직원을 일방 해고할 때는 한 달 전에 사전 고지해야 하는 법률은 있지만, 직원이 회사에 사직을 표명할 때는 꼭 한 달 전에 말해야 한다는 법은 없다고 확인했어요.”

“하… 그럼 여기 어학당 일은 어떻게 하라는 거야?! 여기 생각은 안 해?!??”

결국 터졌다. 내가 노동청이란 단어까지 꺼내자 그제야 대화가 전환되었다. 순간 핸드폰을 귀에서 살짝 떼어내야 할 정도의 고함이었지만, 어이없다기보단 우리 팀장님이 나름 참으려 용쓰려 했던 모습이 얼핏 상상이 되었다.

“…지금까지 우리 어학당 생각 제일 많이 한 비정규직 직원은 바로 저예요, 팀장님.”

담담한 내 한마디에 그제야 고함소리가 멈추며 알겠다고, 인사과에는 본인이 얘기하겠다며 전화를 끊으신다. 야근수당이라는 것도 없이(정규직은 있었는지 모르겠다) 밀려드는 외국인 유학생들 행정업무 처리하느라 주말에도 혼자 새벽까지 일했다. 내 책상 옆에 붙여놓은 탁자 2개도 부족하도록 산더미처럼 쌓여있던 입학서류들을 끌어안고, 끝없이 밀려드는 민원을 쳐내던 내 모습이 떠올랐다. 팀장님이 내 말을 이해해 주신 건지, 그냥 더는 입씨름이 안 통하겠다 싶어 마무리 짓는 건지는 나도 알 수 없다(아마도 후자겠지). 난 그저 맡은 업무에는 항상 최선을 다했었다는 내 생각을 말씀드린 거였고, 어차피 도래할 계약기간 만료일보다 조금 더 일찍 끝내는 것뿐이다.

이렇게 양도 많고 탈도 많았던 업무들을, 마지막까지 나보고 책임지라는 고함소리를 들으며 나의 또 하나의 끝은 시작되었다.

제대로 쉬지도 못하고 무거운 마음으로 힘들게 지내야 했던 시험 기간을 거쳐 드디어 시험 당일 답안지에 마킹을 끝내고 나오는 기분이었다. 칙칙한 학교 건물 안에 위치한 딱딱한 교실. 다닥다닥 붙어 앉은 수험생들 사이에서 홀로 정답을 찾아보겠다고 일인용 책상 앞에 코를 박고 허둥지둥 문제를 풀었던 1년 7개월의 시간. 그 와중에도 악착같이 정답을 찾아보겠다고 몇 번이고 문제를 훑어보고 마킹 번호도 확인했지만, 실상 정답과는 거리가 멀었던 나의 답안지.

알고 있다. 이 시험은 망했다는걸. 시험 종료 소리와 함께 펜을 놓고 그제야 얼굴을 들며 긴장했던 숨을 내뱉는다. 눈앞의 칠판 한 번, 나와 비슷한 모습을 한 수험생들 옆모습 한 번, 내 답안지를 걷어가는 감독관의 뒷모습까지 한 번씩 멍하게 둘러본다. 나가도 된다는 감독관의 목소리에 겨우 정신 차려 제출했던 가방과 핸드폰 챙겨 어기적어기적 학교를 기어 나오듯 한다. 건물 밖 하늘 아래로 지하철역까지 걸어가는 그 짧은 시간 동안, 이어폰으로 아무 노래나 들으며 괜히 핸드폰을 만지작거리다 습관적으로 친구들에게 전화를 해본다. 핸드폰 너머로 시험 치느라 고생했다고, 못 친 거 같아도 결과는 나와봐야 안다며 무턱대고 내가 잘했을 거라는 말들을 들으며 앞으로 걸어간다.

그러나 내가 제일 잘 알고 있다. 시험 합격이라는 원래 목표는 이번엔 달성하지 못한다는 걸. 다정한 말들에 허탈했던 마음이 조금은 가라앉으면서도 나는 갈피를 잡지 못한다. 이제 뭘 할까? 친구들을 만날까, 집에 갈까, 영화를 볼까, 잠을 잘까. 뭘 먹을까? 커피? 달달한 빵 한조각? 전날 밤을 새우다시피해서 엄청 피곤했었는데, 시험 기간 동안 하고픈 것도 많았던 것 같은데, 막상 지금은 떠오르는 것도 없고 당기는 것도 없다. 뭘 해야 이 힘들고 찝찝하고 허탈한 감정을 오늘 다 떨쳐내고, 내일부턴 희망차고 기운 넘치는 마음으로 새로운 앞을 나아갈 수 있을까?

업무 시간 중이었기에 팀장과의 전화를 끝내고 바로 사무실로 들어와 다시 일을 시작했다. 너무나도 후련하고 허탈한 감정을 오롯이 느꼈지만, 아무렇지 않은 척 관성적으로 키보드를 두드렸다. 그 와중에도 내 머릿속은 사표를 제출했으니 이제 무엇을 해야 올 한 해를 잘 마무리하고 새해를 시작할 수 있을지에 대해서 생각하기 시작했다. 나 그동안 하고 싶던 게 뭐더라? 막상 하려고 하면 왜 이리도 생각이 안 나는지.

물론 나는 내 앞날에 대한 나름의 계획이 있었다. 그 해 입학했던 대학원도 계속 다닐 계획이고, 인생에 한 번은 합격해 보고자 했던 시험도 내년엔 병행해서 정규직이 되어볼 것이다. 석사학위의 정규직. 인생에 한 번은, 나도 한 번은 해봐야 하지 않겠냐고 생각한 내 커리어의 중간 목표라고나 할까. 특히나 대학원 전공인 외국어로서의 한국어 교육을 잘 이수한다면, 시험에 합격하지 못해도 플랜 B로써 한국어 강사라는 직업을 가질 수 있겠지. 시험에 합격해서 다른 직업을 가진다 해도, 교육학 석사학위 타이틀은 물론이고 노후에도 강사 자격을 활용할 수 있을 거야. 잘하면 해외에서 한국어 강사를 하며 노후를 보낼 수 있을지도 몰라! 구체적이진 않아도 나름 설득력 있는 계획이었다.

그러나 이런 생각을 잠시 미뤄두고 당장 필요한 휴식과 즐거움을 찾고 있었다. 짧게라도 해외여행을 갈까, 지방에 있는 친구들 만나러 갈까, 템플스테이라도 할까, 뭐 가볍게 배워볼 거 없나, 오늘 저녁은 치맥 고? 별의별 생각이 비눗방울처럼 머릿속에서 몽글몽글 터지고 있었다. 그렇게 시간이 흐르다 퇴근 한 시간 전, 내 핸드폰에 문자 하나가 터졌다.

'[외한교 공지사항] 제1회 베트남 ○○대학교 한국어 강사 실습 신청자 모집'

휴대폰 대기 화면에 뜬 문자 제목을 홀린 듯 바라보았다. 그래, 어차피 해외여행 갈 거면 실습 증명서라도 남을 한국어 강사로 가는 게 맞는 거지. 보통 실습 기간이 2주~한 달 정도인데 3개월이나 되다니, 베트남이면 다른 나라보다 생활비도 적게 드는 편이라 실직자인 나에겐 나쁘지 않아. 이건 기회야!

끝남과 시작이 함께했던 날이었다.

떠나는 발걸음

두 학교 간 협약을 맺고 처음으로 실습 강사를 파견하는 거라 신청자가 거의 없어 선발 테스트 없이 대상자 명단에 오를 수 있었다. 학교도 처음 나도 처음인 여정을 준비하는 거라 실습 조건이 많이 바뀌어 혼란스러운 와중에, 서울 자취방도 빼고 지방의

본집으로 이삿짐을 옮기는 등 여러모로 적당히 바쁜 시간을 보냈다.

사직서 제출하는 날 단숨에 정해버린 실습행이었기에 누군가는 용기 있다, 도전정신을 발휘했다며 말하기도 했었다. 그에 나는 보란 듯이 나의 바람과 시기가 맞아떨어지는 운명 같은 기회였다고 대답했다. 명분 있는 돌파구가 간절했고, 그에 부합하는 조건 중 가장 좋았던 것이 바로 강사 실습이었기 때문이다. 분명 그 관점에서는 나무랄 데 없는 결정이었으나 앞으로의 계획과 경제 상황 등의 현실을 생각한다면, 그리고 내가 정말 '한국어 강사'로서의 배움에 대한 열정과 실습 경력이 그때 꼭 필요한 거였냐고 물어본다면… 글쎄. 그 당시에는 나 자신도, 내 주변 누구도 나에게 진지하게 물어보지 않았다. 그리고 대학원은 다닌 지 1학기 만에 휴학 신청을 해야 했다.

그렇게 약 한 달 반의 준비 기간을 거쳐 약 3개월간의 한국어 강사 실습을 위한 걸음을 내디뎠다. 2월 말의 여느 평일이 다 그러하듯, 출근 시간이 조금 지난 늦은 아침은 춥고 조용했다. 나는 졸업반이던 선생님 두 분과 함께 베트남으로 떠났다.

한 분은 40대, 다른 한 분은 50대로 다들 제2의 직업으로 한국어 강사를 선택하셨다. 실습으로 알게 된 두 분은 이제 논문 완성만 남은 상태였다. 이번 실습 경력을 가지고 3개월 후에 한국에 돌아왔을 땐 바로 한국어 강사로서 일을 하실 분들이었다. 대부분 졸업 직전에 배운 것을 실현해보고 경력으로 삼기 위해 가는 실습을, 나처럼 겨우 1학기만 수강하고 휴학까지 해가며 실습 가는 경우는 많지 않았다.

아침부터 3개월치의 짐을 가득 실은 캐리어 두 개를 밀고 끌며 추운 날씨에 미끄러운 골목길을 걸어가던 중 눈앞에 일하던 어학당 건물과 대학 캠퍼스가 보였다. (당시 내 자취방은 대학교 어학당 건물에서 5분 거리였다) 며칠 후면 개강으로 정신없이 북적거리겠지. 다만 지금은 폭풍전야처럼 그저 추운 바람에 흔들리는 나뭇가지들만 고요함을 깨우는 듯했다.

1년간 3개월씩 4학기로 운영되던 어학당. 이런 일정인지라 어학당 입학 접수 기간은 연중무휴 365일이라 해도 과언이 아니었다. 게다가 우리 어학당은 개인, 에이전트 할 것 없이 모든 신청을 다 받았다. 특히 학기 중반부터 다음 학기 초반까지의 두 달여간은 수료 및 입학을 동시에 치르느라 정신이 없었다. 이 와중에 모든 입학서류 접수, 1차 심사 및 민원 상담은 내가 해야만 했기 때문에 매일이 전쟁이었다. 낮에는 전화와 대면으로 밀려드는 상담과 행정민원을 처리해야 했고, 밤에는 입학서류를 검토하고 입학생 관리를 했다. 한 학기 800여 명의 학생. 그 중 300여 명이 신입생이었고, 입학 상담 및 중도 입학 포기자까지 합하면 500은 족히 넘었다.

그러나 이것도 입사 초기에나 그랬지, 어느새 영어권 학생 담당자는 그만두고 베트남 학생들의 입학 러시가 시작되면서 그 모든 입학 신청 서류들은 다 내가 받아서 처리해야 했다. 서류심사 탈락 등으로 그렇게 쳐내고 최소한으로 입학생을 받았는데도, 어학당 전체 학생 수는 1300명이 넘게 되었다. 2배 가까이 늘어난 학생들에 따른 입학생 관리, 강의 준비는 항상 아노미 상태였고 이 또한 나는 빠짐없이 참석해 뛰어다녀야 했다. 이런 상황에 매 학기 종료 후 2주 정도 주어지던 방학은 행정 직원에겐 1도 연관 없는 일이었다. 안 그래도 입학식과 개강 준비, 입학생 입국 관리로 정신없는 그 시기에, 학생들이 쉬는 시간마다 행정실로 밀어닥치지 않는다는 것 하나만으로도 진심 감사했다.

이제 나는, 더는 이와는 상관없이 베트남 현지에서 이미 공부할 준비를 마친 학생들을 만나러 가는 중이었다. 너무 무거워 바퀴가 헛돌고 자꾸만 기울어지는 캐리어를 양손으로 힘줘서 끌어당기며 나는 인천공항으로 향했다.

지치는 발걸음

같이 간 선생님들 덕분에 베트남 학교까지 잘 도착했고, 3월부터는 본격적으로 학생들과의 한국어 수업이 시작되었다. 학생들과 함께할 대학 강의실엔 나무로 된 책걸상과 칠판뿐이었다. 한창 경제발전을 위해 힘쓰고 있는 베트남인지라, 아직 학교엔 컴퓨터와 빔프로젝터 같은 기기가 없었기에 오로지 책으로만 수업을 진행해야 했다. 더운 날씨였지만 에어컨 또한 없었고, 강의실 천장 전체를 덮은 커다란 팬(fan) 하나만 오후 내내 늘어지는 햇빛과 같은 속도로 천천히 움직일 뿐이었다. 아담한 체구의 베트남 학생들처럼 크지 않은 강의실엔 일인용 책걸상이 일렬로 빼곡히 채워져 있었다. 그리고 그 책상엔 앳된 베트남 대학생들이 앉아있었다. 마치 한국의 고등학생들처럼 연회색 체육복 바지에 무채색의 티셔츠를 입고, 화장기 없는 투명한 얼굴로 열심히 수업을 들었다.

대학 학부 수업이라 각자 맡은 수업만 진행하면 되었기에 막상 다른 선생님들과의 교류 또한 크게 없었다. 수업이 없는 요일도 있었고, 오전부터 저녁 수업까지 다양하게 있었으나 하루 6시간을 넘기지 않았다. 특히나 담임제가 아니라서 일주일 동안 가르치는 학생들이 다 달랐다. 직접적으로 말하자면 수업 시간을 통해서 한 반에 30~40명씩, 일주일간 백여 명도 넘는 학생들과 만나야 했다. 일일이 학생들을 다 기억하고 친밀한 교류를 할 시간이 턱없이 부족했다. 한국의 어학당에선 한 반에 채 20명이 되지 않는 학생들과 3개월간 수업을 진행하는 반면, 이와는 전혀 다른 조건의 실습이었다. 애석하게도 나에겐 이런 낯선 환경을 극복할 만한 에너지와 의지가 부족했다. 이미 어학당에서 수없이 밀려들다 지나쳐갔던 그 많은 학생들과 민원인들로 이미 녹초가 되어있었기 때문이다.

행정실은 항상 사람들로 북적였지만, 베트남 학생들의 입학 러시가 시작되면서 사람뿐만 아니라 각종 물건들까지 넘쳐나기 시작했다. 어느 날은 한 남자분이 접이식 수레에 라면박스 3상자를 싣고 들어왔다.

"안녕하세요. 그런데 이 상자들은 뭐예요?"

"베트남 학생들 입학 신청서예요. 다음 학기 300명 신청합니다."

이건 시작에 불과했다. 이외에도 적게는 몇십~몇백 명 단위로 입학 신청이 쇄도했고 여행용 캐리어, 문서 박스 등 다양하게도 실려온 서류들은 내 책상과 그 주변을 잠식해갔다. 게다가 어학당 입학 신청 서류는 신분증 사본, 최종학력 증명서, 은행 잔고 증명서, 비자 관련 서류 등이었고, 대부분 원본으로 받아서 직접 확인해야 했다. 검토 전 서류 등록 절차를 진행하는 것만으로도 난 새벽 출근을 했고, 검토까지 마치기 위해 주말 야근도 불사했다.

그리고 다양한 국적, 다양한 환경에서 지내던 학생들이 모여 있는 곳이라 말도 많고 탈도 많았다. 저녁 야근 중에 갑자기 베트남 분들이 행정실로 찾아와서는 학생이 불법 취업해 공장일 하다가 잡혀서 본국으로 추방당하게 되었다고, 어학당에서 그 학생을 빼내달라고 사정하던 일 정도는 흔한 일이었다. 물론 불법인 일을 어학당에서 해줄 수 있는 건 당연히 없었기에, 그저 잘 설명해 돌려보내는 게 유일했다.

그러던 어느 날, 퇴근 시간을 30분 앞두고 이번엔 한국인 남자 두 명이 불쑥 행정실에 찾아온 적이 있었다. 알고 보니 경기도 어느 시 소속 형사였는데, 보이스피싱 조직을 조사하다가 범행에 사용된 핸드폰을 찾았고, 그 핸드폰 명의가 우리 어학당 중국인 학생으로 밝혀져 만나러 왔다는 것이었다. 급하게 수업 중이던 학생을 행정실 옆 회의실로 불렀다. 나, 형사 2명, 학생까지 4명으로 구성된 간이 취조실(?)이 꾸려졌다. 아직 앳된 티가 가시지 않은 중국인 여학생은 한국어 3급 반이었고 한국어가 원활하지 않아 중국어로 대답했다. 졸지에 내가 통역사처럼 형사의 질문 한 번, 학생의 답변 한 번을 통역하게 되었고, 그렇게 대화가 이어나갔다.

사건의 전말은 이러했다. 한국으로 홀로 유학 온 여학생이 심심하고 외로운 마음에 중국인 친구를 사귀는 앱에 가입했고, 거기서 근처에 사는 어떤 중국인 남자를 알게 되었다. 몇 번 만나고 사귀는 사이가 되었을 때 남자가 핸드폰 하나 개설하게 명의를 빌려달라 해서 빌려줬다는 것이었다. 그러나 얼마 후 그 남자에게 다른 애인이 있다는 걸 알게 되어 그 남자와는 헤어졌다고, 지금은 연락하지 않는다고 했다. 그게 벌써 두 달 전 일이었다는 것이다.

확인을 마친 형사들은 이번엔 그 남자에게 연락해서 나오게 할 수 있냐고 물었다. 이젠 함정수사(?)가 시작된 것이었다. 그 남자에게 어떤 말로 자연스럽게 연락하느냐를 가지고 각자 열심히도 의견을 주고받았다. 대충 뭐 하냐, 생각나서 연락한다는 메시지를 보내고는 30분도 넘게 기다렸다. 남자는 짧게 답장은 했지만 '잠깐 얼굴 볼 수 있냐'는 말에는 더는 대답하지 않았다. 그렇게 3시간이 흘렀지만 애석하게도 별다른 소득 없이 수사는 일단락되었고, 다행히 여학생은 별다른 조치가 취해지진 않았다.

이 외에도 입학 신청서의 '한국인 보증인 연락처' 기입란에 자신의 연락처가 멋대로 도용당했다고 신고하겠다는 한국인, 학교 건물 안에서 담배 피우던 학생들, 수업 시간에 여선생님한테 '선생님 바나나 맛있어요?'라고 묻고는 킥킥 웃어대던 남학생들까지 황당한 이야기들은 무궁무진했다.

그러나 나는 퇴사하면서 이 모든 일들과 스트레스들을 다 던지고 나왔다고, 이미 웃어넘길 에피소드들로 정리가 다 되었다고 생각했다. 그리고 베트남에서는 강사로서 학생들을 편애하는 일이나 이상한 소문이 날 일을 만들지 않는 강사가 되겠다고, 강의 진도와 학습에만 집중하면 된다고 생각했다. 실제로도 수업 시간에는 학습 진도 나가기에도 바쁘긴 했으니까. 그러면서 학생들이 수업 후에 같이 아이스크림 먹자거나 하는 호의들은 다 웃으며 거절했고, 수업 시간에 K-pop이나 드라마 이야기로 넘어가면 대화가 깊어지지 않게 수업 교재로 다시 포커스를 맞췄다. 지금 생각해 보면 20대 초반 학생들의 한국에 대한 귀여운 관심과 선생님에 대한 호의에 내가 무심하게 대한 것은 아닐까. 지쳐있는 마음 때문에 건전한 의욕과 애정의 부족으로 학생들에게 더 다가가는 노력을 못 했던 건 아니었을까. 그때 내 힘듦을 충분히 돌보지 못하고 베트남 학생들만을 위해 온전히 집중하지 못했던 게 아닐까 하는 나의 부족함이 시간이 지나고 나서야 보이기 시작했다. 그 당시 우연히 남은 10분의 수업 시간을 메우고자 즉흥적으로 시작했던 끝말잇기 게임을 열정적으로 재밌게 하던 학생들의 얼굴들이, 수업 마지막 날 처음으로 나의 한국 생활에 대해 이것저것 물어보며 환하게 웃던 얼굴들이 한번씩 떠오르곤 한다. 그 앞에 마주하고 있던 나도 학생들처럼 똑같이 환히 웃고 있었나? 물론 나도 재밌었고 함께 웃었지만 자꾸만 스스로에게 질문하게 된다.

멈춰지는 발걸음

수업 외의 베트남 일상은 간단했다. 수업이 없으면 오롯이 내 개인 시간이었다. 교재를 보고 대충 수업할 내용 정리하고서는 혼자 영화 보고 핸드폰 하면서 적당히 늘어져 지냈다. 저녁에는 선생님들과 식사하며 필요한 물건들을 구매하고, 주말엔 선생님들과 한국 음식을 먹고 생필품을 사거나 하노이 명소를 구경했다. 그렇게 생활면서도 난 3개월간 베트남어는 단 한마디도 하지 않은 채 살았다. 실제로 구글 번역기와 간단한 영어 몇 마디로 구글

맵 보면서 돌아다녔다. 이래저래 뻔뻔하게 버틴 것이 용하다 싶을 정도로.

어학당은 특성상 중국어 또는 영어, 아니면 둘 다 잘해야만 했다. 학생들은 전부 외국인이고, 정말 한국어를 잘하는 학생들은 그 수가 적다. 한국어를 배우는 수업 시간엔 당연히 한국어만 사용하겠지만, 행정 일은 정반대다. 학생이 원하고 필요하다면 최대한 그에 맞춰서 업무를 진행해야 한다.

나는 중국어를 전공했고 그때 당시에는 초·중급 수준의 중국어는 할 수 있었기에 어학당에 취직할 수 있었다. 그러나 중국 현지에서 오래 살았던 다른 직원들이나 중국인 학생들만큼 중국어를 잘하진 못했다. 어쨌거나 그 '유창'하다는 기준엔 내가 한참 미달이었다. 이에 직원들은 나를 참 많이도 답답해했다. 본인들도 버거운 민원과 학생 관리를 내가 도맡아 해야 하는데, 유창하지 못하고 이에 자신감 없이 일하는 나를 보는 게 성에 차지 않았던 건 당연했던 것 같다. 거기다 영어권 담당 선생님이 그만두는 바람에, 영어권 신입생들 담당 및 민원도 내가 해야 하는 상황이었다. 애석하게도 난 영어보단 중국어가 더 나았다. 물론 모든 민원 응대는 다 처리했지만 성취감은 고사하고 '민원 응대가 매끄럽지 않다, 학생들이 답답해하고 민원을 너무 못한다' 또 한소리 듣는 건 아닌지 내내 긴장하며 살았다.

외국어와 관련된 민원들을 생각하면 가장 먼저 러시아 출신 백인 남학생 한 명이 떠오른다. 어느 날 행정실로 찾아와 한국어로 '저는 지금 1급 B반 학생입니다. 시험 잘 보면 3급 갈 수 있어요?'라고 나에게 말을 걸어왔었다. 나는 천천히 '시험 잘 보면 2급

가요. 3급은 못 가요'라고 대답해 줬다. 내 말을 알아들었지만 하고 싶은 말이 있던 학생은 답답한지 영어로 말하기 시작했다. 자신은 러시아에서 왔고 일 때문에 한국어를 배우는데, 3급 이상이 되어야 한다고 했다. 이에 나도 영어로 열심히 대답하던 도중, 갑자기 한 중국인 학생이 불쑥 중국어로 말을 걸었다. (마음이 급해서 그런지 이렇게 다른 사람과의 대화 중간에 불쑥 끼어들어 민원을 하는 학생들이 참 많았다) 어쩔 수 없이 그 학생에게 중국어로 '줄 서서 기다리세요' 하고선 다시 돌아서니, 이젠 러시아 학생이 나에게 중국어가 편하냐며, 이번엔 중국어로 자신이 하루빨리 3급으로 진학해야 하는 이유를 구구절절 설명했다. 나 또한 애석하게도 우리 어학당엔 월반 제도가 없다고, 한국어 평가는 한국어 선생님이 하니까 담임선생님과 얘기해 보라고 중국어로 설명해 돌려보냈다. 이렇게 정신없이 여러 언어를 섞어 쓰고 끊임없이 밀려드는 민원을 처리하다 보면 가끔씩은 한국어도 꼬일 때가 있었다.

이렇게 문화도 언어도 다양한 학생들이 행정실을 넘어 복도까지 꽉 차도록 밀려올 때나, 입학 레벨테스트 등을 위해 몇 백 명도 넘게 밀집해있을 때면 영어도 중국어도 부족했다. 결국 이 상황을 어느 정도라도 통솔하려면 보디랭귀지에 얼굴 표정까지 다 동원해서 학생들의 도를 넘은 민원과 요구들을 그 자리에서 '쳐내야만' 했다. 퇴사 며칠 전에서야 한 한국어 강사님을 통해 내가 강사들과 학생들 사이에서 '행정실 무서운 선생님' 또는 '호랑이 선생님' 이란 별명으로 불렸다는 걸 알았다. 그 말을 듣는 순간 참 많은 생각들이 떠올라 스쳐갔다. 아무리 친절하게 해도 불만족에 체크되어 있던 설문 평가 결과지, 또 그걸 근거로 회의실에 불려가 혼나던 일상. 어렵고 곤란한 민원일수록 아무도 나서지 않아 결국 내가 온몸으로 어르고 달래서 겨우 처리했던 나날들.

난 호랑이 선생님이고 싶지 않았다. 나도 다른 사람들처럼 뒤에서 단순한 민원들 위주로 적당히 처리했더라면 좋은 행정실 선생님일 수 있었을까? 마냥 해맑은 꼬꼬마 동산을 그리워하듯 부질없는 상상을 해본다. 세상일이 내 맘 같지 않다지만, 온몸으로 어렵게 해나갔던 나의 민원 응대는 항상 먼 산언저리로 올라가 내려오질 못했었다.

그렇게 헤매고 지쳤던 내 마음 깊숙한 곳에서부터 어느샌가 외국어를 한다는 것, 더 나아가 사람들과 소통하는 것에 대한 부담감이 자리 잡기 시작했다. 시간이 지날수록 거부감까지 더해져 갔다. 어학당에서 아주 가끔 전화 한 통 없이 조용한 찰나의 순간이 오면, 정말 막히던 숨이 쉬어지는 느낌이 들었다. 예고도 없이 툭툭 나에게 내던져지던 대화와 민원들에 놀라지 않고 일만 할 수 있다면 얼마나 좋을까. 어느샌가 한국어로 하는 대화도 5번 이상 주고받으면 피곤해졌고 외국어로 소통하는 대화는 그 피로도가 배로 쌓여갔다.

사람들에겐 외국어가 특기이자 장점이겠지만, 나에겐 아무 의미 없는 무언가가 되어가고 있었다. 의미 없는 만큼 어지간해선 하고 싶지 않았고, 그렇게 하지 않는 게 점점 편해져 갔다. 굳이 외국어로 소통하지 않고 적당히 에둘러 처리하고 비껴간 것이 하나의 재밌는 에피소드이자 나의 유연한 기지인 것 마냥 스스로 눈을 돌려버렸다. 그리고 그건 필연적으로 나의 적극적이고 낙관적인 태도를 갉아먹으며 나의 베트남 생활과 강의 곳곳을 얼룩덜룩하게 물들였다.

· 에필로그 ·

다시 길을 찾는 발걸음

그로부터 5년이 지난 오늘, 대학원 행정실로부터 전화를 받았다. 휴학 기간 5년이 지나 제적 대상이 되었다는 것. 베트남 실습을 다녀와 복학하지 않고 플랜 A였던 시험에 합격해 지방으로 발령받아 일을 시작했다. 거리상 대학원 수업을 참석하지 못해 휴학한 채로 차일피일 미뤘던 기간이 벌써 5년이나 되어 더는 휴학을 지속할 수 없게 되었다. 게다가 그사이 외국어로서의 한국어교육 대학원이 따로 신설되었고, 이젠 내가 속한 교육대학원 외한교는 없어질 예정이라 재입학도 불가능하단다. 아이라도 있으면 육아휴학으로라도 연장 신청해 볼 수 있다고 친절히 안내를 받았지만 애석하게도 아직 아이가 없다. 더는 손쓸 방법이 없었다. 누굴 탓할 수도 원망할 수도 없다. 내가 선택한 결과와 그에 따른 환경의 한계가 여기까지였다. 남은 학자금과 어설프게 꿈꿨으나 가질 수 없게 된 목표가 눈앞에 아른거렸지만, 알겠다고 대답한 뒤 전화를 끊었다.

소정의 목표는 달성했다고 해야 하나. 베트남에서 돌아온 지 1년 만에 시험에 합격해 정직원이 되긴 했다. 철밥통에다 정직원이라는 메리트에 홀려 팍팍한 현실의 돌파구로 여기며 내 인생에 그리 열심히 공부했던 적이 없었다. 그러나 내 눈에 덮였던 콩깍지는 생각보다 금방 벗겨졌다. 모든 직장인이 그러하듯 나 또한 어느샌가 다시금 사직서를 품고 살기 시작했고, 이젠 몸까지 나빠져 휴직을 신청해야만 했다. 목구멍이 포도청이라 나보다 더 고생하는 남편 얼굴이 눈에 밟혀 차마 던지지 못한 사직서 대신이었다. 휴직 후 충분히 쉬고 회복한다는 명분 하에 어설픈 가정주부 코스프레를 하며 취미생활 찾아본다는 핑곗거리로 몇 달을 보냈다. 그러다 복직을 한 달 남짓 남겨놓은 시점에 대학원 제적이 현실이 되었다.

돌아갈 자신 없는 복직과 끝나버린 대학원. 나이만 먹어가는 팍팍한 현실 속에 선택지는 줄어들고 있다. '구관이 명관'이라는 말에 애써 나 자신을 끼워 맞춰 보려 해도 이미 녹다운되어 주저앉아 일어나기도 힘들다. 지리한 고통들을 감내하며 긴 과정들을 버틸 수 있고 그 과정 속에서 작은 성취감이라도 느낄 수 있는 내 직업, 내 직장은 무엇일까? 많은 사람들이 함께 고민하거나 외면하는 이 질문에 나는 언제쯤 답변할 수 있을까.

그나마 성취감을 느꼈던 경험 중 하나는 강사 일을 할 때였다. 대학 시절 과외부터 수학학원 강사 아르바이트, 그리고 한국어 강사까지의 일련의 경험 속에는 매우 작은 기쁨 한 조각이 들어있었다. 수학이나 외국어 강의를 준비해서 가르칠 때보다, 짧은 시간이었지만 외한교 강의를 수강하거나 학생들과 한국어로 소통하던 때가 나에겐 조금이나마 덜 긴장하고 지냈던 시간이었다. 다만 이 장점을 오롯이 느껴보고 목표로 삼기 전에 어학당에서의 생활과 한국어 강사의 실상을 먼저 알아버렸고, 그 힘듦을 직·간접적으로 경험해버렸다. 아마 그래서 적극적으로 한국어 강사의 길을 선택하여 달려가지 못했고 그 결과가 이렇게 이어진 것이겠지.

직장, 더 나아가 직업을 바꾸는 일이 내 인생에서 다시 한번 제대로 짚고 해결해야 할 문제가 되었다. 그리고 여전히 한국어 강사는 고려 대상 중 하나로 남아있다. 대학원 공부 기간과 비용 문제는 물론, 계약직 시간강사로 일을 시작하는 것도 100% 보장되지 않는 현실은 여전히 신중히 생각해 봐야 할 부분이다. 다만 다시 시작한다면 이전의 힘든 경험에 매몰되지 않을 노력과 다시 0부터 시작해 끝까지 나아갈 각오로 오롯이 집중할 것. 아마 어떤 직장이나 직업을 다시 선택하더라도 필요한 전제이지만, 유독 나에게 몇 번을 강조해도 지나치지 않은 말일 것이다. 미처 끝내지 못했던 부분을 이제는 정리하고 온전히 누릴 시작을 위해.

김예성

하나의 종착점

1. 시작점 | 새로운 계기
2. [illegible] | 설레는 [illegible]
3. 흔들기 소년 | 어린아이의 시절
4. 바나나 우유는 [illegible] | 부모님
5. [illegible] | 친구
6. [illegible] | 연인
7. [illegible]
8. [illegible]

하나의 종착점

따사로운 햇빛이 손가락 사이를 파고드는 4월의 완연한 봄, 서울역에서 기차가 출발한다.

· 1 ·
시작점 : 내딛는 계기

이 날 아침을 회상해보면 시작부터 이상했다. 7~8살 되어 보이는 나의 어린 뒷모습과 함께 부모님의 얼굴이 보이는 꿈이었다. 부모님과 함께 여행을 가는 기차 안에서 간식으로 팔던 쫀드기를 맛있게 먹으며 행복해 보이는 미소를 가득 머금고 있었다. 부모님은 나에게 무엇인가 설명해주고 계셨다. 그 말이 무엇인지 귀를 기울이려는 순간 경박한 알람소리에 눈이 번쩍 떠졌다. 현실의 나는 왜인지 눈에서 눈물이 흘렀다. '우리 부모님은 멀쩡히 잘 살아 계신데 왜 눈물이…?'라는 생각이 들어 눈물이 금방 쏙 들어갔다. 잠에서 깬 후 일어나 평소처럼 제일 먼저 고양이 세수를 하고, 양치를 한 후 옷을 입었다. 화장은 대충 후다닥하고, 식탁 앞에 앉아 아침밥을 꼭 챙겨먹는 평범한 아침이었다. 좋아하는 검은색 단화를 신고 현관문을 나섰다. 이어지는 출근길은 전철로 1호선을 타고 한참을 가야한다.

20대 중반에서 후반으로 넘어가는 나이, 기차역 간식 판매원이라는 직업은 친한 지인의 권유로 시작하게 된지 벌써 1년 차가 되어간다. 원래는 교육과를 졸업해 교사가 되고 싶었지만 준비 기간이 길어지면서 많이 지친 상태였다. 처음 시작할 때는 아이들의 때 묻지 않은 순수한 마음과 마음 사이의 교류, 만약 그렇게 못할지라도 나라는 사람을 통해 끼치게 될 선한 영향력에 대해 기대하며 공부에 전념했었다. 그러나 몇 번의 시험 낙방은 마치 큰 벽에 막힌 것 같이 막막한 심정이었다. 그렇게 방황하던 나에게 기차역 간식 판매원이라는 직업이 찾아왔다. 원래 같았으면 절대 관심 갖지도 않을 직업이었지만 당시 힘들었던 나에겐 오히려 마음에 환기를 주었다.

"그래. 늘 하던 것만 하는 것이 아니라, 안 해봤던 것도 해보면서 시야를 넓혀보자."

· 2 ·
출발점 : 설레는 마음

서울역에 내리면 느껴지는 도심 속 공기가 코끝을 찌른다. 나는 서둘러 발을 옮겨 기차역으로 들어간다. 지금 시간은 약 오후 2시, 곧 열차가 출발한다. 이 일을 3개월 쯤 했을 때를 회상해보면 간식에 대해 투정부리는 승객들 때문에 스트레스가 굉장했다. 사실 간식을 투정하는 상황 자체에 대한 스트레스보다는 불만을 토로하는 승객들의 말을 듣고 있는 것이 힘들었다. 평소 말에는 힘이 있다고 믿어 예쁜 말을 고르고 골라 하는 것을 좋아하던 나에겐 너무나 곤욕이 따로 없었다. 감사하게도 시간이 지나니 이 부분은 요령이 생겨 미리 대비하거나 잘 피해갈 수 있었다. 이젠 1년이 되어가는 시간 속에서 정말 다양한 일들이 있었지만 그 과정 또한 나름 배움의 시간이 되었다고 생각된다.

기차역에 도착해 출근하면 가장 먼저 하는 나만의 루틴이 있다. 손 씻기, 간식 종류 및 물량 확인, 탑승 인원 수 확인, 동선 체크를 다 마치면 마음의 안정을 위해 따뜻한 차 한 잔을 마신다. 주로 '유자차'를 마시는 편인데, 유자차는 교사 시험을 준비할 때부터 자주 마시던 차라서 그런지 눈을 감으면 종종 그 때가 생각나기도 한다. 이렇게 루틴을 다 마치면 분주한 소리가 기차 내에 서서히 울려 퍼지기 시작한다.

반복적으로 들리는 큰 소리, "쿵, 쿵, 쿵"

바람이 빠지는 소리, "퓌쉬시시식"

기차가 출발을 준비하는 둔탁한 소리, "끼이이익 탁, 탁, 탁"

여러 소리들이 마치 합주를 하는 것처럼 조화를 이루기 시작할 때 비로소 기차는 출발할 준비가 완료된다. 기차의 준비와 함께 내 일을 시작할 준비도 완료된다. 기차와 같이 일하는 기분이 들어 속으로 기차에게 말을 걸어본다. '기차야, 오늘도 잘 부탁해!' 이런 내 마음에 화답이라도 하듯 경쾌한 경적 소리가 귀에서 따끔 건드린다.

· 3 ·
쫀드기 소년 : 어린아이시절

오늘 탑승하는 기차는 부산역을 도착점으로 한 번에 가는 직행 기차이다. 원래는 중간 중간 내리는 역이 있었는데, 올해 초 시민들의 투표로 직행 열차가 생기게 되었다. 어떤 이는 여행을 떠나는 길, 어떤 이는 본가를 가는 길, 어떤 이는 그저 평범한 귀갓길. 모두 같은 기차를 타고 다 각자의 목적지를 향해 출발한다. 그러나 종착역은 늘 하나다. 그 끝을 알기에 모든 승객들이 충분히 먹을 수 있는 간식의 양을 조절해본다.

드디어 간식 카트를 끌고 일을 시작한다. 첫 번째 칸에 들어섰을 때 눈에 띄는 아이가 있었다. 줄무늬 맨투맨에 청바지를 입고 창밖을 하염없이 바라보고 있는 모습이 인상적이었다. 그 아이의 부모님 옆을 지나갈 때 아이의 시선이 순간에 간식 카트로 향했다. 뚫어져라 쳐다보는 시선에 부모는 못 이긴 듯 아이를 향한 사랑스러운 눈빛으로 간식 하나를 골라보라고 손짓했다. 아이는 냉큼 쫀드기를 가리키며 침을 꼴깍 삼켰다.

'아이가 쫀드기를 좋아하는가 보네? 나도 어릴 때부터 쫀드기를 좋아하는데, 그냥 먹어도 맛있고, 불로 구워먹어도 맛있고, 전자레인지에 살짝 돌려도 맛있어. 먹을 때 포인트는 길쭉한 쫀드기를 길게 찢어서 먹는 방법이지. 조금씩 야금야금 먹을수록 더 깊은 단맛이 느껴져.'

쫀드기 맛을 생각하다 보니 나의 어린 시절이 떠오른다. 어릴 때는 소심해서 뭐든지 돌다리 두드리듯이 행동했던 것 같다. 뭐가 그렇게 무섭다고, 지레 겁먹었던 걸까? 아무것도 안하면 아무 일도 안 일어난다고 생각했던 걸까? 나도 나를 모르겠던 시절이다. 아무 것도 몰라도 살아졌던 그 시절이 추억된다.

눈으로 보기엔 자라고 있는 것 같지 않지만, 어느새 돌아보면 쭉쭉 성장해있는 모습이 마치 쫀드기와 비슷하다. 부모님의 사랑을 듬뿍 받아 단맛이 가득한 그 시절. 그때를 떠올리면 저절로 입가에 미소가 나온다. 아무것도 몰라도, 지레 겁을 먹어도 두렵진 않았던 나의 어린 시절이 종종 그립다.

· 4 ·
바나나 우유는 하얀색 : 부모님

두 번째 칸으로 들어선다. 한 중년 부부의 모습이 보인다. 보따리를 한아름 안고 있는 아주머니의 모습과 그 손을 슬며시 잡은 아저씨가 참 다정해 보였다. 그들의 옆을 지나가자 나를 부르며 멈춰 세웠다. 간식 카트에 무엇이 있는지 보기도 전에 아저씨는 이렇게 말했다.

"박여사~ 당신은 바나나 우유를 좋아하지?"

아주머니는 방긋 웃으며 끄덕이셨다. 그 말을 듣자마자 기다렸다는 듯 아저씨가 말했다.

"그럼 바나나 우유 2개만 주세요."

바나나 우유를 드리면서 문득 이런 생각이 든다.

'바나나는 겉은 노란색인데, 실제 속은 하얀색이야. 왜 그럴까? 바나나는 매력이 많아. 조금만 먹어도 포만감이 드니까. 바나나를 손에 들고 있기만 해도 너무 든든해. 우유로 만들어진 바나나는 먹기도 더 편해. 처음 바나나를 먹었을 때 달달하면서 입 안에 한가득 만족하는 느낌은 잊지 못하지.'

어릴 땐 부모님이 바나나의 겉면처럼 질기고, 튼튼하기만 할 줄 알았다. 성인이 된 후 바라본 부모님은 바나나의 겉면뿐만 아니라, 속처럼 하얗고 부드러웠다. 인생을 능숙하게 살아내기 위해 얼마나 많은 노고를 견디셨을지 감히 예상도 되지 않는다. 그 노고를 견디면서도 나에게 보여준 모습은 그 분들의 헌신적인 따스한 미소였다.

'부모란 어떤 존재일까? 나에게 늘 만족감을 주는 분들. 나의 필요를 알고 채워주는 분들. 그 고마움을 이루 말로 다 할 수 없어. 자신을 갈아내는 노력을 누가 다 헤아려줄 수 있을까. 내가 직접 부모가 되는 그때야 이해할 수 있겠지. 어릴 때는 한없이 강해 보였는데, 성인이 되어 갈수록 부모님의 뒷모습이 보여. 바나나의 겉을 감싼 겉껍질은 단단해 보이지만, 그 속을 보면 부드럽고 달콤한 것처럼.'

· 5 ·
삶은 계란과 사이다 : 친구

세 번째 칸을 내딛기 전부터 수다스러운 말소리가 작게 들리기 시작했다. 아무래도 친구들끼리 기차 여행을 온 것 같다. 주변 사람들 눈치를 보면서 눈만 마주쳐도 웃음이 새어나와 참지 못하는 모습이 보기 좋아보였다. 가까이 다가가보니 나잇대는 고등학생이나 20대 초반인 것 같았다.

"여기 삶은 계란 6개 주세요!"

"나영아! 음료수도 같이 시켜~"

"당연하지! 사이다 4개도 같이 주세요!"

명랑하고 또랑또랑한 목소리에 피곤하던 정신이 번쩍 들었다. 그들은 삶은 계란과 사이다를 받자마자 서로의 머리에 계란을 깨는 시늉을 하며 계속해서 시시덕거렸다. 내 생각에도 삶은 계란과 사이다는 찰떡궁합인 조합이라고 느꼈는데, 그 조합을 알고 주문한 센스에 흐뭇했다.

'삶은 계란은 한 손에 잡고 바닥에 '탁!' 깨트린 다음 둥글리며 까는 맛이 있지. 껍질을 벗기면 뽀얗게 쫑긋하고 나와 있는 머리 부분을 먼저 한 입 베어 물면 흰자 안에 숨겨진 퍽퍽한 노른자가 금방 보여. 이때 딱 어울리는 음료가 바로 사이다! '뽀글뽀글'하고 목을 간지럽히며 상쾌함을 주는 사이다를 한 모금 마시면 퍽퍽함

이 싹 내려가면서 시원해.'

삶은 계란과 사이다의 조합을 생각하다보니 또 다른 생각이 들었다.

'이 둘은 서로가 필요하기 전 계란과 사이다는 본인의 역할을 충실히 다하고 있다가 우연히 만나게 되는 것 같아. 계란은 삶아지기 위해 뜨거운 물속에서 많은 인내의 시간을 겪어냈겠지? 사이다는 액체가 고체인 플라스틱 안에 들어있기 얼마나 갑갑했겠어. 그 둘이 만나 드디어 제대로 된 역할을 하게 되는 거야. 서로의 필요를 알고 센스 있게 채워주는 상황이 정말 잘 통한다는 의미인 것 같아.'

친구의 의미를 다시금 떠올려 보게 되는 순간이었다.

· 6 ·
휴식은 충분히 : 연인

기차 안을 한참 돌다보면 휴식이 필요할 때가 있다. 그럴 때마다 나의 연인이 생각난다. 정신없이 일을 하다가 힘이 들 때 가장 먼저 생각나는 그대가 있어 힘이 난다. 연인이란 참 신기하다. 가족보다 오래 보진 못했지만, 연인이 된 순간부터 가족보다 더 가족 같이 서로의 모든 속사정을 나누고, 가장 아껴주며 사랑하게 된다. 기차 안에 작게 마련된 휴식 공간에 앉아 핸드폰을 켜 배경화면에 보이는 그대를 바라보며 생각한다.

'내가 가진 것이 없어도 나를 사랑해준 그대이기에 나 또한 그대를 사랑해요.'

'나를 주장하지 않아도 나를 알아주는 그대이기에 나 또한 그대를 알아가요.'

어린 시절부터 부모님에게 받아왔고, 내가 해왔던 사랑의 모양은 "희생"이었다. 정도 많은 내가 누군가를 사랑하면 상대에게 다 퍼주는 것을 알기에 그 희생을 아무에게나 할 수 없었다. 신중에 신중을 기하며 나 자신을 잘 관리하고 있던 중에 그를 만났다. 내가 생각하는 사랑의 모양과 그가 보여주는 사랑의 모양이 같았다. 그리고 대화를 나누고, 함께하면 할수록 나의 마음에 벚꽃이 피는 듯 따스한 햇살이 가득히 들어와 채워졌다.

우리가 처음 얘기를 나누었던 날, 마치 나 자신과 대화하는 것처럼 너무나 잘 통하는 사람은 처음이었다. 그 신선한 충격은 아직도 잊을 수가 없다. 그렇게 하루, 이틀, 삼일, 한 달 이상을 매일 대화하며 더욱 깊어져가던 나의 마음을 돌아볼 새도 없이 그에게 푹 빠졌다. 한순간에 커져버린 내 마음이 그의 앞에 섰을 때 마음과 마음이 맞닿아 있음을 알았다.

함께하는 것만으로도, 그대를 바라보는 것만으로도 용기가 된다. 나의 마음에 사랑이 샘솟는다. 마음이 몽글몽글해지는 느낌을 아는가? 이 마음은 마치 해바라기 꽃처럼 그만을 향해 피어나고 있다. 마음의 향기가 퍼져갈 때 인생을 둘러싸며 포옹한다. 생각만 해도 너무나 애틋하고, 진심으로 사랑하는 그대를 볼 생각에 다시금 일어나 힘을 내어 다음 칸으로 이동해 본다.

·7·
밀크티를 좋아해 : 신

네 번째 칸을 지나 다섯 번째 칸으로 들어왔다. 이 칸 안에는 사람들이 별로 없고, 간식을 주문하는 사람도 없이 조용했다. 오늘 판매한 간식들 중에 가장 안 팔린 것이 무엇인지 확인해보았다.

'오늘은 밀크티가 제일 안 팔렸네?'

조용한 기차 안에서 안 팔린 밀크티를 보며 깊은 생각에 빠진다. 사실 밀크티는 내가 가장 좋아하는 음료라서 넣은 메뉴이다. 밀크티는 홍차에 우유를 섞은 영국식 차다. 밀크티를 처음 맛보게 된 때는 20살이었다. 대학생 시절, 편의점에서 패키지가 예뻐서 우연히 호기심에 집어 들어 마시게 되었다. 평소 우유를 좋아했지만 홍차를 섞은 음료가 있을지 상상도 못했다. 나의 기준엔 완전히 새로운 발견이었던 것이다. 홍차의 매력은 첫 순간, 첫 입이다. 달짝지근하면서 차분하게 들어오는 맛. 그 첫 맛을 기억하기 때문에 지금까지도 밀크티를 좋아한다. 좋아하는 것이 계속되면 익숙해질 만도 하지만 질리지 않고 늘 새롭다. 나에게 신은 이러한 존재다. 신을 만난 첫 사랑, 그 첫 기억을 잊지 못한다.

어쩌면 지금 내가 하고 있는 간식 판매원이라는 직업이 사람들이 대강 보기엔 초라해보일지도 모른다. 그 일을 할 시간에 다른 공부를 해서 다른 일은 준비하라고 권유하는 사람도 있었다. 그렇지만 이 일을 하면서 느끼는 것은 사람들의 마음이다. 간식

파는 것이 뭐라고 마음을 느낄 수 있는가 싶을 것이다. 기차 안에서 만나는 사람들이 어떤 간식을 선택하고, 어떤 대화를 나누고, 어떤 표정을 짓는지를 보면 마음들을 느낄 수 있다. 물론 이것들 말고도 다양한 상황과 비언어적인 표현을 통해서 알 수도 있을 것이다.

간식 판매원이라는 직업은 나 또한 사소해보이거나 무심코 지나가게 되는 일이었다. 그렇지만 막상 내가 실제로 해보니 달랐다. 지나치던 시선들과 생각을 발견하게 되었고, 나 자신이 신 앞에 얼마나 작고 작은 자인지 깨닫게 되었다. 신은 나에게 작은 일도 감사하게 만든다. 그리고 마음의 중심이 바로 서게 하여 정직하고 성실하게 일을 할 수 있는 동기가 된다.

"오늘 하루도 행복한 여행되게 하심에 감사합니다."

혼자 조용히 신 앞에 기도를 하며, 간식 판매를 마무리했다. 간식 판매를 마치면 재고 확인을 한다. 팔리지 않아 재고가 된 밀크티를 몰래 홀짝 마시며 출발 후 처음으로 창밖 풍경을 음미했다.

· 8 ·
도착점 : 또 다른 시작

종착역에 곧 도착한다. 도착할 쯤이 되면 잠들어 있던 승객들도 하나 둘씩 일어나 기지개를 피거나 하며 나갈 준비를 한다. 곧 도착한다는 안내 소리와 함께 기차의 속도가 서서히 느려지기 시작한다. 가속도가 붙는 것은 오랜 시간이 걸리지만 멈추는 것은 쉽다. 인생도 그런 것 같다. 아직 20대인 나는 인생의 가속도가 막 붙기 시작했다. 하지만 멈추는 것은 한순간일 것이다. 이를 알기 때문에 오늘도 나는 내일의 나를 기대하며 하루를 살아낸다.

기차 안에서 간식을 팔며 많은 사람들을 만났고, 그 사람들과 소통하는 과정에서 나의 인생을 돌아보게 된다. 과거와 현재 그리고 미래가 만나는 곳. 이 기차 안에서 생존을 갈구하는 인간의 욕구를 조금씩 엿보게 된다. 그리고 그러한 모습은 나에게도 있음을 알고, 더욱 겸손해진다. 나보다 나은 사람도, 나보다 못난 사람도 없다. 다 똑같은 인간일 뿐이다.

"안녕히 계세요. 감사합니다!"

한 승객 분이 나에게 인사를 하며 하차를 했다. 간식을 팔던 내 모습을 보았던 걸까. 예상치 못한 감사 인사에 기분이 좋아진다. 작은 인사 하나가 오늘 하루의 마무리를 매듭지어주었다. 마치 선물 포장의 리본 끈과 같이 한 번에 딱 묶어 주었다. 하차하는 승객들을 뒤로 하고 간식 카트를 정리한다.

다시 서울역, 1호선을 타고 퇴근을 한다. 전철을 기다리다가 문득 아침에 꿨던 꿈이 생각났다. 곰곰이 떠올려보니 부모님이 설명해주신 내용이 기억나기 시작했다.

“예성아, 오늘 기차타고 외할머니 집에 가는 거야. 외할머니가 조금 ‘아야’ 하셔.”

“정말? 엄마, 그럼 ‘아야’하면 ‘호~’ 해야겠다.”

“그래, 우리 예성이가 할머니 ‘호~’해드리면 나으실 거야. 기차 타고 조금 오래가도 잘 참을 수 있지?”

“네! 엄마, 나 쫀드기, 쫀드기 먹고 싶어.”

“자~여기 있다. 우리 예성이, 엄마 아빠 정말 많이 사랑 하는지 알지?”

“응!! 나도 엄마 아빠 많이 사랑해!”

아침에 꿈을 깨자마자 눈물이 났던 이유를 이제야 알았다. 내가 오늘날 이렇게 건강하게 살 수 있도록 사랑으로 키워주신 부모님께 감사한 마음에 울컥 하는걸 간신히 참고 전철을 탔다. 내가 무언가가 되지 않아도, 내가 할 수 있는 것이 별로 없어도 날 사랑해주는 이들이 있기에 행복함이 밀려온다. 전철을 타고 돌아가는 길 내내 괜스레 웃음이 나왔다. 내일은 또 어떤 사람들을 만날지 기대되는 마음을 뒤로하고 집으로 들어선다.

소중한 당신에게 물어봅니다.

“오늘 하루, 당신의 여행은 어디로 향하고 있나요?”

나는 지금 어디쯤에 있는가

나는 지금 어디쯤에 있을까

책『의식혁명』의 저자 데이비드 호킨스 박사가 제시한 의식 단계 도표이다. 우리는 살아가면서 경험을 통해 여러 감정을 느낀다. 부정적 의식에 끝을 달렸을 때 결국 깨달음이라는 긍정적 의식을 마주할 수 있다. 나는 이 도표를 토대로 나의 경험에서 어떠한 감정과 깨달음을 얻었는지와 나의 의식적 단계는 어디쯤인지를 쓰려고 한다. 평범한 사람이 쓴 나의 글이 누군가에게는 공감을 얻고 편안하게 읽혀나갈 수 있기를 바란다.

내용	의식의 밝기	의식의 상태	감정상태	행동
200이상 부터는 상승하는 힘 긍정적 의식	700~1000	깨달음	언어이전	순수의식
	600	평화	하나/축복	인류공헌
	540	기쁨	감사/고요함	축복
	500	사랑	존경	공존
	400	이성	이해	통찰력
	350	수용/포용	책임감	용서
	310	자발성	낙관	친절
	250	중립/중용	신뢰	유연함
	200	용기	긍정	힘을주는
200이하 부터는 낮은 힘 부정적 의식	175	자존심/자만심	경멸	과장
	150	분노	미움	공격
	125	욕망	갈망	집착
	100	두려움	근심	회피
	75	슬픔	후회	낙담
	50	무기력	절망	포기
	30	죄의식	비난	학대
	20	수치심	굴욕	잔인한

<의식혁명>의 저자 데이비드 호킨스 박사는 미국의 정신치료 전문가로서 인간의 의식단계를 구체적인 수치로 나타냈고 이 수치에 상응하는 인간의 행동, 감정, 인생관 등을 상세하게 기록하여 인간의 의식 단계를 도표로 제시하고 있습니다.

질문) 최근 당신에게 맞닥뜨려진 경험은 무엇인가요?

지금 당신은 어떤 감정과 의식의 상태인가요?

·1·

아이가 바라보는 세상을 기억한다면 | 이해 |

"어른들은 누구나 처음에는 어린아이였어.
하지만 그것을 기억하는 어른은 별로 없단다."

– 책『어린왕자』 중 –

나는 다양한 아이들을 만날 수 있는 유치원 교사이다. 이런 직업을 가진 나의 큰 장점은 바로 어린아이였을 때의 기억과 감정들을 자세하게 간직하고 있다는 점이다. 아이들이 바라보는 세상을 매년 볼 수 있는 매력적인 직업을 가지고 있는 나는 나의 기억을 비추어 아이들의 마음을 이해하려고 노력하는 편이다.

"이거 내가 만든 거잖아. 으어엉." 아이들이 열심히 만든 블록이 지나가는 아이에 의해 또는 부시고 싶은 장난스러운 마음을 가진 아이에 의해 부서져버리면 세상이 떠나갈 것처럼 울어버린다. 장난감 하나로 세상이 떠내려갈 것처럼 우는 아이들을 보고 있자면 그 모습이 너무 귀여워 보인다. 하지만 나는 지금 너의 모습이 나에게 굉장히 귀여워 보인다는 것을 숨기고 진지한 표정으로 연기한다. 아이의 절망감에 같이 슬퍼해 주고 위로해 주려 노력한다. 어른에 비유하자면 밤낮없이 열심히 만든 프로젝트나 보고서를 다른 사람이 없애버리거나 무산시켜버린 것만큼의 슬픔일지도 모르기 때문이다. 앞으로 어른이 되어 비슷한 경험을 겪을 때 우리가 다시 일어나는 방법을 알아가야 하기 때문에 그 슬픔에서 벗어나 부서진 블록을 다시 만들고 친구를 용서할 수 있는 마음을 가질 수 있도록 도와줘야 한다.

아이들의 세상에서도 어른이 되어가는 과정을 조금씩 조금씩 배워가는 셈이다.

아이들에게 가장 두려운 것 중 하나는 바로 엄마 아빠와 헤어질 때일 것이다. 엄마 아빠와 헤어질 때의 아이들의 표정을 자세히 보고 있으면 마음이 찢어질 것 같다. 아이의 표정과 울음소리, 눈빛이 너무 괴로워 보이기 때문이다. 그 모습은 낯을 많이 가렸던 어린 시절의 내 모습이 떠오르기도 한다. 나는 선생님이기 때문에 감정을 배제하고 마음을 가다듬어 아이를 편안하게 대해야 한다. 그 과정에서 부모님은 "이따가 또 보자."라며 이야기해주고 선생님께 아이를 보내고 가야 한다. 그래야만 나는 아이를 안정시켜줄 수 있다.

"○○아, 엄마랑 떨어져서 지금 너무 두렵지? 그런데 엄마는 밥 먹고 나서 꼭 와. 만약 안 온다면 선생님이 꼭 엄마한테 전화해 줄게. 그리고 선생님도 너처럼 어릴 때 엄마랑 헤어지는게 너무 무서웠어. 그런데 선생님이 여기서는 유치원 엄마야. 엄마처럼 도와줄 테니깐 너무 걱정하지 마." 이렇게 이야기하면 아이는 진정이 되어간다. 이 말은 어렸을 적 유치원에서 엄마와 떨어졌을 때 내가 듣고 싶었던 말이다.

여러 상황과 경험을 배워가며 아이들의 세상에서도 의식의 성장은 끊임없이 이루어진다. 두렵고 슬픈 마음에서 용기, 깨달음 등의 긍정적 의식으로 말이다.

"귀엽다" "귀찮다" "왜 그러는 거야."라고 말하는 것이 아니라 우리도 아이였던 적이 있기에 그 기억을 끄집어내어 아이의 입장에서 누구보다 힘든 자그마한 사건들도 함께 공감해 주고 헤쳐나갈 수 있도록 도와주는 건 어떨까?

아이에게 친구 간의 갈등도 없고 다치지도 않는 그런 100퍼센트 좋은 상황을 만들어주는 것이 아니라 앞으로 마주하게 될 고통과 상실감 속에서 상황을 극복해나갈 수 있는 일종의 '면역력'을 길러주도록 돕는 건 어떨까?

물론 '나'부터 말이다.

·2·

부모가 된다는 건 무엇일까 | 존경 |

도대체 부모가 된다는건 얼마나 많은 희생과 용기가 필요한걸까?

선생님의 입장에서 아이를 가장 사랑하는 학부모님과 소통을 하는 건 쉬운 일은 아니다. 나는 아직 아이가 없기에 그들의 마음을 온전히 이해하지는 못한다. 하지만 그들과의 이야기와 눈빛 속에서 그리고 우리 부모님을 보더라도 자식을 얼마나 사랑하는지 희생하는지가 느껴진다. 나이를 먹으면 먹을수록 가장 멋지고 존경스러운 분들은 바로 '부모'인 것 같다는 생각이 든다.

사립유치원에 근무하고 있을 적 스승의 날 때였다. 학부모님들이 나에게 너무 과분한 선물들을 주셨던 기억이 난다. 20대 초중반이었던 나는 선물이란 친분이 있는 상태에서 고마운 사람에게만 주는 거라고 생각했다. 선물이 '뇌물' 같기도 했고 누가 선물을 줬는지 사실 잘 기억도 안 난다. 그래서인지 과분한 선물을 주는 학부모님이 이해가 되진 않았다. 물론 아이를 잘 봐주신 것에 대한 고마움의 표현과 우리 아이 잘 봐달라는 뜻인 마음이 담긴 선물이었겠지만 그당시에 나는 마음이 물질을 대신하지 않는다고 생각했었기에 과분한 선물이 부담스러웠다. 내 나이가 30대 중반이 되어가고 있는데 이제야 그 마음들을 조금은 알 것 같다. 글을 써보며 잊고 있었던 기억을 끄집어 내보니 초등학교 시절 엄마가 반 아이들과 함께 먹으라며 간식을 들고 찾아왔던 모습이 기억이 난다. '엄마가 간식을 왜 돌리지?' 어린 날에 나는 엄마의 모습이 이해가 안 갔었다.

하지만 이제는 사랑하는 자식을 위해 선생님께 선물을 주고 내 자식 친구들에게 간식을 돌렸던 부모님의 무한한 사랑을 조금은 알 것 같다.

우리 부모님은 자식들을 위해 고향을 떠나오셨다. 평생을 터 잡으시며 고향에서 사셨는데 모든 것을 놓고 삶의 터전을 바꾸신 건 생각할수록 대단한 것 같다.

"엄마, 엄마는 맨날 우리만 보는데 안 심심해?"라고 물으면 엄마는 항상 화내시며 하나도 안 심심하다고 하신다. 우리 보는 것도 너무 바빠서 혼자 아무도 찾지 않는 곳에 조용히 있고 싶다고 한다. 내 질문에 속뜻은 "엄마, 우리만 보느라 너무 외롭고 슬프지 않았어?"라는 말이다. 그렇게 물어본다면 나도 엄마도 너무 슬플 것 같다.

내가 정말 힘들었던 어느 날 엄마에게 전화해서 물었던 적이 있다. "엄마, 엄마는 나 생각해? 내 편이야?" "당연하지. 네가 행복해하는 게 엄마한테는 그게 행복이야. 누가 뭐래도 네 편이지. 엄마는 너희들 키우는 게 힘들 때도 있었지만 커가는거 보면서 너무 행복했어."

부모가 자식에게 주는 무조건적인 사랑에 마음은 무엇으로 표현할 수 있을까?

지금은 말할 수 없지만 내가 부모가 된다면 그때는 대답할 수 있을까?

부모됨을 겪고 싶지만 겪고 싶지 않은, 두렵지만 해내고 싶은 양면성이 두드러지는 마음이다. 내가 부모됨을 선택한다면 험난한 세상에서 기쁨을 찾도록 도와주고, 어려움에는 지켜주며 어렸을적 내가 받은 커다란 사랑을 주리라 이 글에 약속해본다.

· 3 ·

선택은 내가 할래 | 후회 |

우리 인생에 있어 중요한 선택의 순간들이 있다. 내가 생각하는 중요한 삶의 기로의 순간들 중 첫 번째는 학창 시절이다. 어떠한 친구를 사귈지에 따라 인생이 크게 변한다. 두 번째는 대학이다. 전공에 따라 혹은 대학 시절의 경험들에 의해 인생이 크게 변할 수 있다. 세 번째는 결혼이다. 내가 어떤 사람을 만나느냐에 따라 나의 삶이 변한다. 선택에 따라 나의 인생이 휙휙 바뀐다는게 너무 재미있으면서도 무서운 것 같다. 그 이외에도 우리는 작고 큰 많은 선택의 순간들이 있다. 후회가 남은 선택은 무엇인가? 혹은 삶에서 정말 잘한 선택은 무엇인가?

어렸을 적 나는 엄마한테 미술을 배우고 싶다고 이야기하였다. 엄마는 너보다 미술에 소질 있는 사람이 넘치고 넘친다며 잘 못하면 배고프게 살 수 있다고 미술 학원을 보내주지 않았다. 대신 수학학원을 보내셨는데 수학에는 관심도 재능도 없었다.

내가 좋아하는 미술을 시작도 못한 채 대학을 선택해야 할 시기가 왔다. 둘째 언니도 유아교육을 전공하고 있었기 때문에 부모님께 정확하게 이야기하지 않고 장난으로 유아교육을 썼다. 당연히 안 갈 거라고 생각을 했기 때문이다.

성적에 맞춰 대학교를 지원을 하였는데 1학년 때 패션디자인, 식품, 아동복지를 배워보고 2학년 때 전공을 선택하여 4학년 때 선택한 전공으로 졸업장을 받을 수 있는 학교였다. 내가 원하는 전공들이 있어 그 학교를 들어가기를 희망하였고 부모님께 말씀드려 입학금도 넣었다. 입학금도 넣었기 때문에 나중에 대학에 들어갔을 때 이제 진짜 열심히 해서 대학교 시스템을 활용해 외국도 가고 경험을 넓혀봐야지!라는 꿈에 부풀었다. 어떻게 해서든 나는 반짝반짝 높은 건물이 있는 회사에서 야근도 하며 열심히 일하는 커리어 우먼이 될 거야!라는 상상도 해보며 말이다. 그런데 대학 입학금을 낼 수 있는 기간 중 마지막 날 집에 전화가 왔다.

평소에는 내가 전화를 받는데 그날은 이상하게도 엄마가 전화를 받았다. 그 뒤에 어떤 말이 오갔는지는 모른다. 전화를 하고 있는 엄마의 표정은 놀란 표정이었고 끊고 나서는 환한 얼굴로 변했다.

“다은아! 유아교육 썼어? 너한테 딱이야!”

‘무슨 일이지...?’ 이 전화로 인해 내가 원하는 삶과는 다른 방향으로 흘러갈 것 같은 불길한 예감이 들었다.

엄마는 졸업만 하면 내가 원할 때 학교에 다시 보내주겠다는 약속과 내가 원하는 것을 사주는 것으로 협상하면서 나는 울며 불며 학교를 다니기 시작했다. 이 선택으로 지금 나는 ‘유치원 선생님’으로 인생에 방향이 확실하게 정해졌다. 반짝반짝 높은 건물이 아닌 반짝반짝 별님반에서 일을 하고 있다. 그때 엄마가 아닌 내가 전화를 받았다면 나는 지금 어떻게 살아가고 있을까? 망했을까? 정말 반짝반짝 일을 하고 있을까? 아니면 상상하지도 못하는 삶을 살아가고 있을까? 일이 힘이 들 때면 내가 선택하지 않은 인생인 것 같아 후회가 밀려온다. 그 말인 즉슨 내가 선택해야 후회가 남지 않는다는 것이다. 다시 돌아갈 수만 있다면 엄마와 협상하던 그때로 돌아가 다른 선택을 해보고 싶다. 그렇다면 정말 나는 지금 어디에 있을까?

주변 사람들은 안정된 삶을 살아간다고 잘 된 거라고 이야기를 한다. 나는 '유아교육'이라는 틀어진 방향에서 살아갈 수 있는 방법은 '임용'을 보는 것이 최선이라 생각했다. 임용을 보고 현재 공립유치원 교사로 살고 있지만 실패해도 나의 인생이었을 가보지 못한 삶이 안전성을 뛰어넘는 아쉬움을 남게 만든다. 남들이 원하는 삶이 아닌 내가 원하는 삶을 살아가는게 하나뿐인 나의 삶에서 가장 좋은 경험이지 않을까?

아니, 삶을 살아가도록 방향을 알려준 가족들에게 고마워해야 되는 건가? 모르겠다. 앞으로는 내 인생 내가 선택한다.

· 4 ·
흑백인 노량진에서 무지개 빛 | 근심, 긍정 |

노량진 육교 '세속의 다리'를 아는가? 지금은 없어졌지만 노량진 지하철역과 고시촌을 잇고 있던 육교였다. 지하철을 타러 육교를 건너는 건 세속으로 간다는 뜻으로 세속과 고시생들을 구분 지어 '세속의 다리'로 불렸었다.

내가 처음 노량진에 갔을 때만 해도 세속의 다리에는 많은 사람들이 북적이고 있었고 운동복에 큰 가방, 무표정한 모습에 한 손에는 수첩을 들고 다니는 사람들이 많았다. 그 모습을 보니 노량진이라는 곳은 딱딱하고 차가운 흑백 느낌이 들었다. 매일 친구들을 만나서 놀기 좋아했던 나는 이런 모습이 굉장히 낯설었다.

패기 넘치게 '임용시험 봐야지'라는 생각만으로 강사만 선택하여 무작정 노량진으로 왔던 20대의 나. 5평 남짓한 고시원. 문을 열고 다섯 발자국만 앞으로 가면 책상이 있고 책상과 한 몸으로 되어있는 침대. 좁디좁은 고시원에서 혼자 살아가면서 '언제 또 이렇게 살아보겠어'라는 무한 긍정을 내뿜으며 노량진에서 공부를 시작하였다. 사실 혼자 살아가는 게 신기하기도 하고 5평 남짓한 고시원도 나름 매력 있었다.

그러던 중 나에게 시련이 찾아왔다. 그 시절 나를 제일 응원해 주리라 믿었던 남자친구와 헤어졌다. 대학시절을 함께했던 남자친구였기에 충격이 컸다. 고시원 방에서 유독 오랫동안 울었던 날, 옆방에서 똑똑똑 벽을 두들겼고 '방음이 안되는구나.'라는 생각에 "죄송합니다."라고 작게 이야기하고는 이불을 덮고 숨죽여 울다가 잠들었다.

평소와 같이 새벽 6시 알람이 울리고 자동적으로 눈을 떠 퉁퉁 부은 눈으로 독서실로 갈 준비를 했다. 문을 열었는데 문고리에 검은 봉투가 걸려있어 깜짝 놀랐다. 검은 봉투 안에는 주황색 귤이 들어있었다. '옆방에 사는 분이 줬구나.'라는 생각이 들었다. 참 고마웠다. 서로를 잘 알지 못하지만 위로해주고 토닥여주는 마음이 느껴졌다.

또 어느날은 고시원 앞 분식집에서 김밥 두 줄을 주문하였는데 일반 김밥을 참치 김밥으로 바꿔주셨다. "사장님, 저 일반 김밥 시켰는데 참치 김밥이에요."라고 이야기하니 눈을 찡긋하시며 먹으라는 신호를 주셨다. 그리고 몇 번이고 참치 김밥으로 주셨던 사장님, 참 고마웠다. 그 덕에 혼자 먹는 밥이 쓸쓸하지 않았다.

추석 전날에는 복사집에 문제를 뽑으러 갔는데 사장님이 나에게 물어보셨다.

"명절 때 집에 안 내려가요?"

"네. 할 게 많아서 못 내려가요."

"10분 있다가 앞집 가게에서 통닭 가지고 온다고 하는데 같이 먹어요."

"아니에요. 말씀만이라도 감사합니다."

"괜찮아. 우리만 먹으면 많아요."

문을 반쯤 닫고 처음 보는 사장님들과 통닭을 뜯어가며 맛있게 먹었다. 참 고마웠다. 그 덕에 나는 추석 명절이 외롭지 않았다. 이외에도 감사한 분들을 종종 만났다. 커피 사이즈 업해서 주셨던 사장님, 편의점에서 도시락 주신 사장님, 노량진에 나를 보러 온 친구 등 그때 당시에는 너무 힘들었다고 생각했지만 주변에서 주신 따뜻함들이 나를 버틸 수 있게 하지 않았나 싶다.

흑백이였던 노량진이라는 곳은 시간이 지날수록 여러가지 색깔이 칠해져가고 그렇게 나는 적응해 갔다.

많은 청년들이 노량진에서 자기의 꿈을 위해 살아간다. 일년에 한번 있는 시험으로 그동안의 노력이 결정된다니 잔인하면서도 공평하다. 신이 시험이라도 하는 것 같이 중요한 시기에 공부만 하기 좋은 상황이 아닌 공부에 큰 걸림돌이 생기기도 한다. 누군가는 이별, 누군가는 건강, 누군가는 가족의 일 등

합격· 불합격을 떠나서 '꿈'을 위해 달려가는 이 시간들이 삶에서 얼마나 멋진 순간인가?

가장 밑바닥이라 생각했던 노량진에서의 시간을 돌이켜보니 어쩌면 가장 빛나는 '청춘'이지 않았나 싶다.

그러니 모든 공시생들 취업 준비생들 파이팅이다!

· 5 ·
소외되는 아이 하나 없이 진심을 다해 | 책임감 |

06:20 ~ 06:50: 전화스터디(인출)

07:20 ~ 12:30: 논술 및 강의듣기

13:00 ~ 16:00: 복습하기

16:00 ~ 19:00: 문제풀이

20:00 ~ 23:00: 강의듣기 및 복습

23:00 ~ 01:30: 기출풀이

임용 준비 중 학원 강의 날을 제외한 개인 시간표이다. 모든 임용 준비생들은 나와 비슷한 시간표를 가지고 있을 것이다. 변동이 있을 때도 있고 세부적으로 시간표가 되어있었지만 대략적인 시간표는 이러하였다. 언젠간 끝날 거라는 기대감으로 합격하면 더 좋은 환경이겠지? 라는 희망으로 버티고 있었다. 하지만 '할 수 있어!'라고 당차게 시험공부를 시작했던 나는 점점 용기를 잃어가고 있었다. 그러면서도 공부를 하면 할수록 합격하고자 하는 마음은 짙어졌다.

첫 번째 시험에 떨어지고 두 번째 시험을 봤던 날이었다. 1교시 논술에서 첫 번째 시험 때도 문제 가짓수를 잘못 보고 작성했는데 이번에도 시간이 30분 남은 채 가짓수를 잘 못 본 걸 깨닫고 시험지를 바꿔 빠르게 작성하였다. 마지막 점을 찍는 순간 종이 울렸고 '살았다'라는 동시에 어떤 글을 썼는지 기억이 나지 않아 불안한 마음도 들었다.

2교시, 3교시에는 문제를 풀고는 '합격하겠는데?'라는 생각이 들었다. 시험을 보고 난 후 첫날은 합격하겠다. 두 번째 날부터는 자다 일어나다를 반복하면서 가답안과 비교하며 떨어졌겠다 라는는 걸 무한 반복 하였다.

그렇게 희망고문이 끝나고 1차 합격 발표 날 기대 없이 화면을 보는데 '1차 합격입니다.'라고 문구가 떴다.

합격의 기쁨을 제대로 느끼지도 못한 채 바로 2차 면접 준비를 위해 달려야 했다. 2차에서 떨어지면 다시 1년 동안 이 힘든 과정을 반복 해야 되는데 상상만 해도 끔찍했기 때문이다.

계획안 작성, 구상형, 즉답형, 수업실연을 준비하기에는 시간이 너무 부족했지만 최선을 다해 스터디원들과 으쌰 으쌰 하며 열심히 준비하였다.

2차 시험을 보러 가는 길. 추운 겨울이었지만 심장은 콩닥콩닥해서 얼굴에 열이 나는 것 같았다.

학교 정문 앞에서 엄마와 인사를 하고는 시험장에 들어가는데 점점 엄마의 얼굴이 작아졌던 장면이 생각이 난다. 추운 날 시험장까지 같이 오셔서 기다려주시는 엄마를 봐서라도 최선을 다하자라고 다짐을 하였다. 나의 다짐과는 다르게 면접과 수업실연에서 실수를 많이 했다. 오른쪽 문으로 나가야 하는데 왼쪽 문으로 나가기도 하고 수업실연에서는 구상한 종이가 수업을 하는 도중 날아가기도 했다. '아뿔싸! 망했다. 바보야? 왜 그래 정말!'

2차 시험에서 마지막인 수업실연이 끝나고 마지막 하고 싶은 말 있냐는 면접관의 질문에

'소외되는 아이 하나 없이 진심을 다해
사랑으로 함께하고 싶다.'

라고 나의 다짐을 이야기했다. 정말 진심이었다. 유치원 교사

라는 게 엄마로 인해 온 길이였지만 공부를 하면서 사립에서 아이들과 함께한 날들이 너무 그리웠다. 힘들게 공부하는 동안 아이들에게 정말 좋은 선생님이 되고 싶다는 간절함이 생기게 되었고 정말 합격하고 싶었다.

실수가 있었던 2차 시험이었기에 2차 시험이 끝나고 정문 밖으로 나서며 나는 엉엉 울었다.

옆에 같이 나온 처음 본 선생님께서 달래주셨다.

"선생님! 괜찮으세요?"

그렇게 2차 시험이 끝난 뒤 우울한 날들을 보냈다. 발표날 힘든 마음을 달래고자 공원을 돌며 생각했다. '이번에 합격하지 못하더라도 좌절하지 말자. 일하면서 공부해 보자.'라고 나를 달래보아도 쉽게 마음이 괜찮아지지 않았다.

집에 들어와 침대에 누웠다. 아빠에게 대신 시험 결과를 봐달라고 이야기하고는 방에 누워 힘든 마음을 달래고 있었다.

아빠가 방에서 '어! 어!' 소리를 질렀다.

"다은아. 합격이야! "

컴퓨터 화면에는 정말 '최종 합격을 축하합니다.'라는 문구가 있었다. 내가 얼마나 보고 싶었던 문구였는데 많이 지쳤던 걸까? 이상하게도 기쁜 마음보다는 '끝났다. 다행이다'라는 생각이 들었다. '이상하다. 왜 기분이 좋지 않은 거지?' 합격만을 달려왔는데 허무한 기분이었다. 많은 축하를 받았지만 헛헛한 마음은 계속되었다. 복잡한 마음을 달래는데 꽤 많은 시간이 필요했다. 그런 복잡한 마음이 회복되었던 계기는 깨닫고 나서이다. 장난으로 썼던 대학, 시험 준비를 해야겠다는 마음, 주변 상황들이 결국에는 아이들에게 좋은 선생님이 되라고 하늘에서 나에게 기회를 준 것 같았다.

일이 힘들 때면 내가 했던 다짐들이 점점 작아져간다.

지금 나에게 다시 한번 다짐하는 말이다. **'제발 그 마음을 잊지 말자.'**

· 6 ·
'안정성'이 나의 안정을 보장하지 않아 | 절망, 굴욕 |

2023. 09. 04. (월)은 '공교육 멈춤'의 날. 아니 '공교육 정상화 시작의 날' 이였다. 서울 여의도 국회 앞 광장에서는 교사들이 검은 옷을 입고 검은 점이 되어 공교육의 정상화 및 진상 규명을 위해 함께 모여 구호를 외쳤다.

많은 선생님들은 병가 또는 연가를 내어 공교육 멈춤에 동참을 하였고 몇몇의 학부모들도 체험 신청서를 제출하여 공교육 멈춤에 지지하는 모습을 보였다.

이게 지금 2023년 공교육의 모습이다. 내가 학교에 다닐 때만해도 선생님의 그림자를 밟으면 안 된다는 말이 있듯이 선생님은 존경의 대상이고 무서움의 대상이기도 했다. 학생들은 주임 선생님을 보면 벌벌 떨기도 했고, 선생님께 매를 맞아도 부모님께 더 혼날까 봐 이야기를 하지 않기도 하였다. 학부모님은 우리 아이를 더 혼내달라고 이야기를 하는 등 교사에 대해 신뢰하는 분위기였다. 하지만 현시점에서는 아이들의 인권을 중요시하는 사회적 흐름 안에서 학생의 인권이 학생뿐만 아니라 학부모의 '기분 맞춰주기'로 변질되어가고 있었고 그 안에서 교사들은 병들어가고 있었다.

라떼만 해도 '공무원이 최고다.'라며 선호하는 분위기였다.

"공무원은 안정적이잖아. 합격했어? 너무 좋겠다. 꽃길만 걸어!" ,"너는 칼퇴 하잖아."

"방학이 있잖아.", "안 짤리잖아.", "연금 나와서 노후 걱정도 별로 없겠네."

주변 지인들이 나에게 해준 이야기다.

'글쎄…과연 그럴까?' 나 또한 합격만 하게 되면 더 안정된 삶, 질 높은 삶을 살아갈 줄 알았다. 하지만 합격 후에도 여전히 나는 유치원 특성상 5분도 제대로 쉬지 못한다. 9시부터 시작하는 교육 활동으로 같이 놀이하고 활동하고 한시도 눈을 떼지 못한 채 아이들을 관찰해야 한다. 언제 어디서 다칠지 모르기 때문에 매일을 불안에 떨어야 된다. 아이들은 말을 제대로 표현하지 못하기도 하고 과장되거나 거짓을 이야기하기 때문에 상황을 제대로 관찰하지 못하면 교사 탓이 된다. 선생님은 한 명인데 아이들은 여러 명이고 여러 명인 아이들에 학부모님까지 계신다. 좋으신 학부모님도 굉장히 많지만 간혹 아이들끼리 부딪힌 상황에서 언어표현을 잘 못하는 아이가 부모님께 '친구가 때렸다'라고 하면 나는 또 이 사건을 해결하기 위해 애써야 한다. 상황을 설명해도 "나는 괜찮은데 애 아빠가 화가 나서요." "그쪽 학부모가 사과하지 않으면 신고할 거에요." 어디서 다친지도 모르는 아주 작은 상처도 부모는 노발대발하며 교사에게 항의할 때가 있다. 점심 먹을 때도 밥을 제대로 먹지 못하는 아이들을 먹여주기 위하여 나는 밥을 허겁지겁 먹는다. 최근에는 말도 안 되는 것으로 '아동학대'를 걸고 넘어지는 사건을 다룬 연수를 들었다. 무고한 사건에도 학부모가 신고하여 몸과 마음을 다치는 교사들의 사례였다. 더 불안이 증폭되었다. 그러니 아이들이 잘못된 행동을 하더라도 그냥 넘어가야 될까 알려줘야 될까 고민이 될 때가 있다. '참교사는 단명한다.'라는 이야기가 있다. 잘하려고 했다가 괜스레 아동학대에 걸리고 사건에 휘말리기 때문에 모른 척 해야된다는 말도 있다. 이게 선생님인가? 누가 열심히 하는 교사를 의원면직과 죽음으로 몰아내는가? 우리 아이만 오냐오냐하면 그게 과연 아이에게 좋을까? 운이 안 좋으면 조직내에서든 학부모든 법에 연루된 삶을 살아갈 수 있다.

나는 오후 1시 30분에 교무실로 와 5분도 제대로 쉬지 못한 채 쌓여있는 공문을 처리해야 한다. 유치원에서 제대로 일을 끝내지 못하면 집에 와서도 일을 한다. 우리가 가끔 교사인지 행정 업무하는 사람들인지 헷갈릴 만큼 업무에 치이며 살아간다. 또한 방학을 제외한 학기 중에는 반 아이들을 맡기 때문에 몸이 아파도 참아야 하고 연가나 병가 등을 쓰기가 어렵다. 조직 분위기에 따라 굉장히 폐쇄적일 수 있으며 개인의 자유로운 수업에 대한 제지가 들어오기도 한다. 갑질이나 부당한 일을 당했을 때도 괜히 이야기를 했다가는 찍힐 수가 있다. 물론 이건 비단 공무원만의 이야기는 아닐 것이다. 하지만 공무원이기 때문에 조직에서도, 학부모에게도 갑질을 당하기 쉬운 존재이다. 법에 취약하며 직업상 자유로움에 대한 제약이 있기 때문이다.

올해 유·초·중·고·대학교원 6,741명을 대상으로 2주간 교직의 만족도를 조사한 결과 2023년 교직 만족도는 23.6%로 설문조사를 시작한 2006년 이후 최저치를 기록하였다.

1순위는 문제행동, 부적응 학생 등 생활지도이고 2순위는 학부모 민원 및 관계 유지, 3순위는 교육과 무관하고 과중한 행정업무 및 잡무를 주요하게 들었다.

만족도 조사의 결과와 같이 '안정성'은 나의 몸과 마음의 '안정성'을 보장하지 못한다.

그럼에도 불구하고 내가 그만두지 못하는 이유는 첫 번째 그렇게 열심히 준비한 건데 그만둘 용기는 없다. 두 번째 부모님의 자랑이었다. 세 번째 아이들의 순수함과 귀여움이 좋다.

현장에서 어려움을 잘 헤쳐나가기 위해서는 교사를 보호해 주는 사회적 시스템이나 법 등이 필요하다. 또한 좋은 동료들도 굉장히 중요한 것 같다. 자세히 예를 들자면 어려운 상황에서 함께 고민하며 해결책을 마련해 주는 것, 초임 교사가 좀 더 수월하게 일을 배울 수 있는 상황을 만들어주는 것, 실수에도 격려해 주는 선배 교사들이 있는 것 등 이런 분위기의 학교를 만난다면 내가 있는 조직은 안전한 곳이구나.라는걸 느끼며 많은 것을 배울 수 있고 성장하여 힘든 상황에서 버틸 수 있는 것 같다.

그렇지 않고 서로가 격려하는 게 아닌 비난과 질책 또는 경쟁하는 분위기라면 이곳은 안전하지 못하다는 생각으로 앞으로의 교직 생활에 어려움을 느껴 신뢰하지 못할 수 있다. 자세히 예를 들자면 조직 내 분위기의 흐름이 한 사람을 좋아하지 않기로 한다면 사사건건 트집을 잡아 인정하지 않고 혼을 내는것(일명 타겟을 정하는 행위), 많은 업무량을 만만한 교사에게 떠넘기는 것, 본인의 일을 시키는 것, 본인의 업무가 아닌 그 이외의 다양한 업무를 전체적으로 모르냐며 타박하는 것, 말을 꼬아 들어 나쁜 사람으로 몰아가는 것, 나이가 어리다는 이유로 잡일을 무조건 해야 하는 것, 거짓된 허위 내용들로 수군거리는 것, 자기들 멋대로 성과를 결정 내는 것, 어려움들을 이야기하면 네가 이상한 거라며 몰아가는 것, 의견을 낼 때 무시하는 것, 볼펜을 던지거나 위아래로 훑어보는 행동의 무례한 발언과 행동 등이다.

현재 나는 감사하게도 정말 좋은 동료들과 함께 일하고 있다.

'이렇게 좋은 분들이 있구나.'를 알게 해줘 평생 일해야 하는 이 조직에 희망을 준 나에게는 은인과 같은 분들이다. 일을 하면서 힘이 들었던 때도 있었기에 감사함은 몇 배로 느껴진다. 나에게 항상 용기와 도움을 주시는 존경하는 부장님과 배울게 많은 착한 후배 선생님께 감사하다는 말을 전하고싶다.

일도 힘든데 서로를 위해주는 조직이 많아지기를 바라며 교사에게 힘이 되는 법안과 사회적 분위기가 이루어지기를 간절히 바래본다. 그리고 나도 단단해지기를 바라본다.

· 7 ·

우리는 언젠간 늙고 반드시 죽는다

| '하나'라는 감정 상태로 평화가 되기를 |

작년에 신혼여행에서 돌아오는 길에 할머니가 돌아가셨다. 신혼여행을 갔다 오고 난 뒤 우리 가족들은 할머니를 꼭 찾아뵈려 했는데 말이다. '코로나-19'라는 질병으로 인하여 면회가 되지 않아 요양병원에 계셨던 할머니를 몇 년간 찾아뵙지 못하였다. 또한 할머니는 고향에 있는 요양병원에 계셨기 때문에 우리가 평소에 찾아뵙는 것이 쉽지 않았다.

나는 결혼을 앞두고 요양병원에 면회가 가능한지 전화를 해보았다. 그 당시 코로나 심각 단계라 영상 전화만 가능하다고 했다. 그래서 할머니 얼굴을 영상 전화로나마 뵈었다.

할머니 얼굴을 보는 순간 눈물이 나는 걸 억지로 참고 말을 건냈다.

"할머니! 저 결혼해요. 저 ○○○막내딸 다은이에요. 우리 엄마도 할머니 너무 보고 싶어 해요."

할머니는 대답이 없으셨다. 요양보호사분은 할머니 눈을 억지로 뜨게 하려는데 그 모습이 너무 마음이 아팠다. 할머니는 말도 못 하고 눈도 제대로 못 뜨는 상태였다. 할머님께 너무 죄송했다. 각자의 삶을 살아간다고 너무 늦게 찾아뵌 것 같았다. 그동안 얼마나 외로우셨을까 생각하면 마음이 너무 아리다. 할머니께서 말을 하실 수 있었을 때 우리 엄마를 많이 찾으셨다고 한다. 엄마도 고향을 떠나 우리를 돌보아 주시느라 바쁘게 사셨고, 코로나 영향으로 2~3년 할머니를 만나지 못했다.

가족들이 모두 모였을 때 할머니께 영상 전화를 하도록 병원에 부탁드렸다. 엄마는 나의 결혼식 끝내고 찾아갈 거라고 하셨다. 지금 할머니를 보면 마음이 너무 아플 것 같다고 말이다. 지금 아니면 안 될 것 같다는 느낌이 들어서 무작정 영상 전화를 걸었다.

할머니의 얼굴을 본 엄마는 어린아이처럼 우셨다.

"엄마. 나 많이 찾았다며 큰딸 작은딸 아들 낳았어. 안 보고 싶어서 안간 게 아니라 코로나라는 감염병이 있어서 면회가 안돼서 못 간 거야. 엄마 미안해. 다은이 결혼하고 꼭 찾아갈게. 그때까지 기다려줘."

할머니는 엄마를 보고 무슨 말을 하고 싶어 하셨는데 말이 나오지 않아 '아아.'라고만 외치셨다. 할머니는 분명 우리 엄마를 알아보신 것이다. 말을 하고 싶은데 말이 안 나오는 상황이 얼마나 답답하셨을까?

그 통화를 마지막으로 몇 주 뒤 돌아가셨다. 엄마를 만나고 가시려고 버티다 돌아가셨을 것이라 생각이 든다. 그래도 할머니는 우리가 왜 못 찾아갔는지를 알게 되셔서 마음 편히 가셨을 거라고 믿고 싶다. 찾아뵙고 싶어도 이제는 볼 수 없는 할머니께 너무 죄송하다.

코로나 이전 할머니를 찾아뵈러 요양병원에 갔을 때도 항상 눈물이 났다. 그 안에 있는 할머니 할아버지는 죽음을 기다리는 사람들인 것 같아 속상한 마음을 어찌할 수 없었다. 병원 안에서 얼마나 답답하실까? 다른 사람의 보호를 제대로 받을 수나 있었을까?

어쩔 수 없는 삶의 이치라 하지만 아직은 받아들이기 쉽지 않다. 나 또한 언젠간 나이가 들어 할머니가 될 텐데 그때의 내 모습이 두렵다. 우리 엄마 아빠의 늙어버린 모습도 너무 슬퍼서 제대로 쳐다보질 못하겠다.

우리는 언젠간 늙고 반드시 죽는다. '죽음' 앞에서 인간은 너무나 작은 존재이다. 소중한 사람들과 언젠간 이별을 해야 하며 나도 갑작스러운 죽음을 맞이할 수 있다. 그러니 얼마나 소중한 삶이란 말인가.

언젠간 죽는다는 것을 잊어버린 채 소중한 사람들에게 상처를 주거나 돈이나 경쟁에 목숨을 걸며 전쟁으로 죄 없는 무수한 사람이 죽어나가기도 한다. 무엇이 중요한지 모르고 살아가는 것이다.

잊지 말아야 한다. 우리는 언젠간 늙고 반드시 죽는다는 걸 말이다. 그러니 이제부터라도 내 옆에 있는 소중한 사람들과 시간을 보내고 '사랑한다' 표현해 주는 건 어떨까. '사랑'을 베풀며 살아가면 어떨까. 물론 '나'부터 말이다.

마음 아픈 경험들도 있었기에 꺼내기 어려운 이야기를 '이제야 쓸 수 있지만' 과거를 되돌아보며 그때의 '나'를 만나게 되었다. 10년 후 40대가 된 나는 원하는 삶을 살아가고 있을까? 그때 나는 어디쯤에 있을까? 앞으로 수없이 고통과 행복이 넘나드는 삶을 살아가겠지만 그 모든 퍼즐이 맞춰져 하나의 인생 그림이 완성되기를... 죽기 전에 '잘 살다 간다.'라는 말을 뱉을 수 있는 삶이 되기를 바라본다.

줌 인 줌 아웃

· 내레이션 ·
두드리다

책상 앞에 앉아 노트북의 모니터를 바라본다. 마우스를 잡은 손이 온라인 줌(Zoom) 결제창을 응시하며 머뭇거린다. 코로나19 이후 네 번째 연간 결제를 앞두고 있다. 149.9달러, 20만 원이 넘는 비용을 결제할 정도로 줌(Zoom) 사용이 많은지 머릿속으로 계산기를 두드린다. 휴대전화 카카오톡 프로필 사진에 시선이 머문다. 로버트 프로스트의 시 '가지 않은 길'을 연상시키는 숲속의 두 갈래 길을 바라본다. 내 마음의 상태 이미지와 다름없다.

코로나19로 사회가 급변하면서 내 삶의 방향은 송두리째 흔들렸다. 사회적 거리 두기로 난생처음 재택근무를 시작했다. 고객이 인터넷을 활용해 직접 주문하는 방식의 온라인 쇼핑몰을 운영했지만, 그에 앞서 직접 고객을 만나 상품을 소개하고 전달하는데 많은 시간을 쏟아왔다. 외부 활동을 해오던 습관이 몸에 배어 집에 갇힌 것처럼 답답했고 급격한 환경 변화가 혼란스러웠다.

궁리 끝에 줌(Zoom) 회의를 새로운 업무 처리 방식으로 받아들였다. 같은 일을 하는 사람들과 협업해 오던 교육 및 공부와 고객 상담을 가상의 공간으로 옮겼다. 어색함과 저항이 따랐지만, 서서히 익숙해졌다. 대면하지 않아도 시공간의 제약 없이 의사소통할 수 있는 신세계였다. 무엇보다 외부 일정을 준비하고 이동하는 데 쓰던 시간이 고스란히 여백으로 남았다.

그즈음이었다. 가슴 속에서 무언의 소리를 들었다. 타닥, 손가락의 움직임이 만들어 내는 소리였다. 키보드를 두드리며 언어를 조합해 내고픈 열망이 꿈틀댔다. 책과 글의 세계에 대한 목마름이었다. 마음의 소리에 좀 더 귀를 기울였다. 그러자 길이 열렸다. 우연과 필연이 손을 잡고 SNS 책 모임과 글쓰기 모임으로 이끌었다. 책을 읽고 토론하고 글쓰기에 흠뻑 빠져들었다. 스스로에 대한 탐구와 재발견의 시간이었다.

코로나19의 기세도 차츰 꺾였다. 사람들은 하나둘씩 원래의 자리로 돌아갔다. 나는 현실과 이상의 틈바구니에서 머뭇거렸다. 경제적인 안정을 보장하는 일에 집중할 것인지 자기 계발에 공을 들여 새로운 길을 모색할 것인지 고민했다. 지금까지 해오던 일을 내려놓으면 수입이 줄어들 것이다. 현실을 고려한 비용 절감과 경제적인 대안이 필요했다. 그러면 어떻게 살아갈 것인가. 가슴 깊은 곳에서 들려오는 소리에 온 마음을 모았다.

숨 가쁘게 달려왔던 지난날을 돌아보았다. 인생이라는 무대에 올라 대본 없는 배역을 소화해 내던 세월이 파노라마처럼 펼쳐졌다. 한 발짝 물러서 타인의 삶처럼 응시했다. 물음표와 느낌표가 한동안 생각의 언저리를 부유했다. 그중에 한 가지 질문이 집요하게 파고들었다. 나는 언제까지 경제활동을 해야 하는가였다. 피하고 싶지만 피할 수 없는 현실적인 물음이었다. 물려받을 재산도 없고 노후 준비도 턱없이 부족했다. 체력도 예전 같지 않았다. 안정적인 일을 내려놓고 좋아하는 일을 선택하려면 대안과 확신이 필요했다.

나의 삶이 시작된 곳으로 돌아가 자신을 대면해야 할 때였다. 인생 5막에서 4막, 3막, 2막, 1막, 리허설…. 지금껏 풀어온 실타

래를 되감았다. 긴긴 시간이 흘렀다. 마침내 대본 없는 연극과도 같은 삶이 시작된 곳에 다다랐다. 빛바랜 세계의 동화 속 주인공처럼 희미해 보이는 어린 나를 만났다.

똑똑똑!

· 리허설 ·

기억하는 것들

내 삶은 그해 겨울 시작되었다. 기와지붕과 초가지붕이 어우러진 시골 마을이었다. 마을 사이로 논밭이 펼쳐졌다. 야트막한 산 뒤로 한 뼘 더 키가 큰 산이 하늘을 등에 업었다. 영산강 물줄기가 냇물을 따라 비옥한 땅으로 스며들었다.

한낮의 고즈넉한 집, 네다섯 살쯤 돼 보이는 내가 대청마루에 앉아 있다. 단발머리에 눈썹 위로 흘러내린 앞머리가 짱구 이마를 덮었다. 토방에 닿지 않는 두 발을 동동거리며 네모난 마당에 시선을 두었다. 그러다가 마루 기둥을 붙잡고 깨금발로 마당 너머를 내려다보았다. 아랫마을이 논밭을 품고 햇살 받아 반짝거렸다.

그곳은 내 생애 첫 집이었다. 부모님이 만들어 놓은 방 네 칸짜리 기와집이었다. 70년대 새마을 운동의 하나로 농촌의 초가지붕이 기와지붕으로 바뀌었고 아버지는 시류에 따라 손수 기와를 얹었다. 어린 내가 앉아 있는 대청마루 뒤로 큰방, 작은방, 머리방이 있고 방들 사이에 크고 작은 광이랑 부엌이 있다. 부엌문을 열고 나가면 우물가와 창고를 겸한 재래식 화장실, 대문, 창고, 아래채로 이어진다. 그 외에도 자투리 공간이 많아 숨바꼭질하기 좋았다.

우리 가족은 주로 큰방에 모여 생활했다. 할머니와 할아버지, 엄마와 아빠, 오빠 셋 그리고 언니와 나를 포함해 아홉 식구였다. 할아버지에 대한 기억은 흑백 영화의 한 장면 같다. 할머니 등에 업혀 아랫방에 잠든 할아버지 얼굴을 보았다. 마당에 사람들이 북적였고 할아버지는 꽃상여를 타고 떠났다. 그날 이후 우리 가족은 오랫동안 여덟 식구로 지냈다.

나는 허약한 아이였다. 하마터면 태어나지 못할 뻔했다. 대식구 식사 준비에 농사일까지 거들던 엄마는 할머니 몰래 나를 낳지 않을 작정이었다. 자연 유산하려고 힘든 일을 마다하지 않았다. 엄마는 내가 허약한 것이 당신 탓이라며 지금까지 미안해하셨다. 병원이 흔치 않던 시절이었다. 먼 읍내까지 나를 등에 업고 약을 지어오며 싫은 내색 한번 하지 않으셨다. 쓴 약을 억지로 먹인 후에는 언니 오빠 몰래 숨겨놓은 사과를 깎아주었다. 키가 작고 왜소해 형제자매의 눈에도 보호해 줘야 할 연약한 존재로 성장했다.

우리 집의 권력자는 할머니였다. 누가 말해주지 않아도 그냥 알아차렸다. 할머니는 가난한 집으로 시집갔다가 먹고살기 힘들어 친정 동네로 돌아왔다. 빈손으로 시작해 논밭을 사들여 동네 부자 소리를 들었다. 반면에 아버지는 말없이 온갖 일을 했다. 기계를 다루거나 고치는 일에 능숙해 다이얼 전화기, 괘종시계, 경운기 등 신문물을 다른 집보다 앞서 들여왔다. 특히 네 다리와 여닫이문을 여는 흑백 텔레비전을 들여와 존재감 없는 나를 '텔레비전 있는 집 아이'로 승격시켰다. 아버지는 소싯적에 배워둔 역학으로 궁합, 작명, 결혼 날짜를 잡는 등 동네 온갖 대소사에도 관여했다. 하지만 정작 농사일은 적성에 맞지 않아 논일하다 말고 먼 산 보는 일이 잦았다. 엄마는 재주 많은 아버지와 여장부 소리 듣던 할머니 사이에서 티도 나지 않는 집안 살림을 손끝이 여물게 해치웠다.

나는 엄마 닮았다는 말을 듣고 싶었던 바람과 달리 할머니 빼닮았다는 소리를 듣고 자랐다. 할머니와 나는 60년 나이 차이의 개띠에 생일이 같다. 이마가 짱구인 것도 성격이 급한 것도 닮았다. 할머니는 당신을 닮았다며 나를 예뻐하셨다. 하지만 어린 마음에 거침없이 행동하는 할머니가 무섭고 부담스러웠다. 다정다감하고 여성스러운 엄마를 닮았다는 소리를 듣고 싶었다. 엄마가 집에 있을 때는 엄마 치맛자락을 붙잡고 졸졸 따라다녔다. 이른 새벽부터 엄마는 부엌에서 밥을 짓느라 아궁이에 불을 지폈다. 그런 엄마 옆에 쪼그리고 앉아 쉴 새 없이 재잘댔다. 어릴 적부터 말하는 걸 좋아해 어른들 이야기에 끼어들어 꾸중을 듣기도 했다. 허약한 아이였지만 한 뼘씩 키가 자라 집 안 곳곳을 탐험하며 국민학교에 입학할 나이가 되었다.

· 1막 ·
학교종이 땡땡땡

책가방을 메고 집을 나섰다. 무리 지어 가는 아이들 속에서 한 시간 남짓 걷고 또 걸었다. 야산을 넘어 들판을 지나 읍내에 다다랐다. 길 끝에 난 차도를 건너 학교 교문으로 이어졌다. 넓은 운동장 왼편으로 난 길을 한참이나 걸어 1학년 교실에 도착했다. 교실을 가득 채운 아이들은 자기만의 목소리를 내며 왁자지껄했다. 그러다가도 선생님이 들어오시면 겁먹은 눈망울로 숨을 죽였다.

하루하루 지나 봄소풍 날이 왔다. 아이들이 긴 행렬을 이어 가까운 산에 올랐다. 반마다 평평한 곳에 모여 앉아 장기 자랑했다. 선생님이 앞에 나와 노래 불러 볼 사람 손 들어 보라고 큰 소리로 외치셨다. 아이들은 서로 눈치 보며 아무도 손들지 않았다. 그때 내가 손을 번쩍 들었다. 아이들 앞으로 뛰어나갔다. 학교종이 땡땡땡…. 목청 높여 노래를 불렀다. 노래에 소질이 있었던 것은 아니었다. 성격이 급해 순간의 답답함을 참지 못한 돌발 행동이었다. 부모님을 대신해 따라왔던 할머니가 뒤에서 지켜보고 계셨다. 할머니는 그날의 행동을 종종 끄집어내어 나를 놀렸다. 몹시 창피했던 나는 짜증 내며 할머니의 입을 막았다. 그 후로 장기 자랑에 나가 노래를 부른 일은 단 한 번도 없다.

그밖에 학교생활에 대한 기억은 이렇다 할 게 없다. 공부와 예체능에 어느 것 하나 두각을 드러내지 못해 존재감 없는 아이로 자랐다. 그나마 체육대회 달리기 종목에서 1, 2학년 내내 1등을 독차지했다. 나는 키가 작고 왜소해서인지 몸이 가뿐해 잘 달렸다. 어느 날은 같은 줄에서 1, 2등을 다투던 아이가 '1등 좀 그만해'라고 화를 냈다. 그 아이에게는 미안하면서도 그런 투정이 싫지 않았다. 그마저도 3학년에 올라가면서 사그라들었다.

가장 큰 변화는 다른 곳에서 왔다. 어느 날부터인가 아침저녁으로 곁에 머물던 엄마 얼굴이 떠오르지 않았다. 할머니 얼굴만 기억 속을 가득 채웠다. 부모님이 우리 가족의 선발대로 서울에 올라가셨다는 걸 뒤늦게 알아차렸다. 엄마 아빠는 명절에만 손님처럼 시골집에 다녀가는 일을 몇 해 반복했다. 어느 해엔가 할머니는 서울 가는 부모님을 배웅한 후 반주를 곁들이며 나를 끌어안고 우셨다. '이 어린것을 두고 간다'라며 가락을 넣어 우는 소리에 나도 덩달아 울음을 터트렸다.

두 해가 지나 중학교에 입학했다. 하지만 한 달이 채 지나지 않아 서울로 전학하게 되었다. 서울 생활에 적응한 엄마 아빠가 막내인 나를 가장 먼저 불러들인 것이다. 새로운 반 친구들하고 막 정을 붙였는데 나만 홀로 동떨어지는 것 같아 마음이 복잡했다. 떠나오는 길에 친구들하고 작별 인사를 건네며 울컥 눈물이 솟으려는 걸 참았다. 그러면서도 부모님과 함께 산다는 생각에 들뜨는 마음은 어쩔 수 없었다.

서울에 올라와 첫 번째로 살았던 집은 다락방이 딸린 다가구 주택의 단칸방이었다. 시골집 큰 방만한 넓이에서 엄마 아빠와 함께 지냈는데도 좁다는 생각은 하지 않았다. 도시 생활은 낯설면서도 신기했다. 시골 친구들에게 신문물을 접한 경험을 편지에 적어 보냈다.(버스 타고 학교에 갔어. 서울 아이들 말씨가 텔레비전에서 듣던 그대로야. 주말엔 63층 빌딩에 다녀왔는데 수족관 크기가 어마어마했어….) 편지에 마음을 실어 보내며 정작 서울 아이들과는 마음을 나누지 못했다.

그사이 우리 집은 철새처럼 매년 주거지를 옮겼다. 단칸방에서 방 두 칸짜리로, 다시 방 세 칸짜리 자가 주택으로 넓혀가며 여덟 식구가 6년 만에 다시 모였다. 가족의 온기 속에 나는 여고 입학을 앞두고 키가 훌쩍 컸다. 처음으로 반 아이 중에서 중간 키를 넘었다. 서울에서 줄곧 자라온 아이처럼 새롭게 적응하고 싶은 욕구가 생겼다. 시작은 좋았다. 앞뒤로 앉은 아이들이랑 도시락을 까먹으며 무리에 들어갔다. 하지만 얼마 지나지 않아 겉돌고 말았다. 유난히 활발했던 아이들은 연극반, 합창반에서 동아리 활동하느라 바빴다. 나는 그들 사이에서 문화적인 이질감을 느끼며 기가 죽었다.

사춘기와 함께 혼자만의 시간 속으로 침잠했다. 공부에 흥미를 잃었다. 학업 목표가 없는 3년은 지루했다. 학교에서도 아이들 사이에서도 이방인이었다. 앞에 앉은 아이 등 뒤에 숨어 시를 끄적였다. 나는 누구인가, 어디로 가고 있는가, 계속해서 근원적인 질문이 맴돌았다. 다행히 그런 시간도 헛되지 않았다. 나를 지켜보던 반 아이가 문예반으로 이끌어 주었고 새로운 길을 열어 주었다.

사람들에게 받은 상처와 외로움은 또 다른 사람을 통해 회복되는 걸까? 아이들 속에서 느꼈던 외로움은 스스로 만든 동굴이었다. 관심을 보여준 아이들의 마음을 알아차리지 못하고 곁을 주지 않은 건 나였다. 이제 연락할 길 없는 반 친구들이 기억의 방에서 여전히 해맑게 웃고 있다.

· 2막 ·

새장 밖으로

스물, 20대, 새콤달콤 청사과 같은 인생 2막이 올랐다. 새장 밖으로 힘껏 날아오를 줄 알았다. 하지만 웬걸, 날개를 펴 보지도 못하고 차가운 현실에 두 발을 내디뎠다. 이상과 현실의 틈을 메워 줄 성적표와 생활기록부가 너무 초라했다. 학생증도 사원증도 갖지 못한 나는 소속 없는 주변인이었다.

부모님 허락을 받아 컴퓨터 학원에 다녔다. 취업 준비를 위해 워드프로세서 과정을 먼저 익혔다. 그렇게 배움을 지속하고 있을 때였다. 여고 시절 문예반으로 이끌어 주었던 반 친구가 졸업 후 처음으로 연락을 해왔다. 친구는 2년제 대학 문예창작과에 재학 중이었다. 본인이 속한 학과에서 실기 비중을 높여 인원을 두 배로 모집한다고 소식을 전했다.

고민 끝에 진로를 변경했다. 남은 몇 달 동안 입시를 준비해 대학생이 되었다. 여고 시절과 달리 대학 생활에 임하는 자세를 바꿨다. 재능이 학업으로 연결되어 흥미로웠다. 학교 도서관에 빽빽이 꽂힌 책들을 쉼 없이 빌려 읽었다. 시, 소설, 희곡 등 작법을 배우며 창작한 글을 과제로 제출하는 수업 방식이 어렵지 않았다. 높은 점수로 교수님의 인정과 칭찬을 받으며 자존감이 올라갔다.

어느새 2년이 지나 졸업과 함께 취준생이 되었다. 성적표와 졸업장은 한 단계 업그레이드되었지만, 여전히 이상과 현실 사이에 틈이 존재했다. 눈높이에 부응하는 회사는 내 가방끈이 짧아 입성하기 어려웠고 나를 받아주는 회사는 성에 차지 않았다. 학교 추천으로 소규모 출판사와 방송 작가 사무실 등 여러 곳에 출근하다 그만두길 반복했다. 커피잔만 열심히 나르다 그만두었고 대표의 질척거리는 눈빛이 부담스러워 조용히 짐을 챙겨 나왔다. 직장 생활에 좀처럼 적응하지 못하고 반년을 허송세월했다.

마음을 바꿔 편입 공부를 준비하고 있을 때였다. 학교에서 연락이 왔다. 대기업에서 2년 동안 사보 편집 업무를 담당할 계약직 사원을 채용한다는 소식이었다. 기존 사보 담당자가 회사 역사를 편찬하는 기간에 업무를 대신할 인력을 뽑았지만, 정규직으로 전환될 가능성도 있었다. 면접 날 출판사, 잡지사 경력직 지원자들과 나란히 앉아 질문을 받았다. 사회 경험이 없는 내가 뽑힐 확률은 희박해 보였다. 그런데 예기치 않게 합격 통보를 받았다. 믿기지 않으면서도 가슴이 설레어 잠을 뒤척였다.

스물셋 여름, 꿈에 그리던 직장인이 되었다. 사원증을 목에 걸었다. 초고속 엘리베이터를 타고 고층 사무실로 출근했다. 자전거 도로였던 여의도 광장이 빌딩 앞마당처럼 한눈에 보였다. 여직원들은 유니폼을 입었고 남자 직원들은 셔츠에 넥타이를 맨 양복 차림이었다. 부서마다 맨 앞자리에 여직원이 앉았고 남자 직원은 직급이 낮은 순서로 뒷자리를 채웠다.

나는 총무부 총무팀에 속했다. 사보 업무를 가르쳐 줄 사수는 골초에 애주가였다. 그는 내 뒷자리에 앉아 줄담배를 피웠다. 작달막한 키에 얼굴이 과하게 컸고 목소리는 허스키하고 시니컬했다. 내 이름을 부를 때마다 심장이 쿵쾅거렸다. 그의 책상 앞에서 잔뜩 움츠러들었다. 사보에 게재할 기사를 작성해 보여주면 피드백 없이 빨간펜으로 쭉쭉 긋고 직접 수정해 버렸다. 나는 아무 말도 못 하고 꽉 쥔 두 손에 애꿎은 힘만 더했다. 모멸감에 피가 거꾸로 솟았다. 하지만 어떤 말도 하지 못했다.

사수는 잡지사 경력으로 입사해 오랜 기간 혼자 일해왔다. 사보 업무를 처리하는 능력은 뛰어났지만 일을 가르치는 방식은 서툴렀다. 그와 부딪힐 때마다 회사를 그만두고 싶은 마음이 굴뚝같았다. 마음의 부침 속에 일을 배우면서도 한숨을 크게 내쉬는 날이 많았다. 결국 다음 해 건강검진에서 폐결핵 경증 진단을 받았다. 처음엔 너무 놀랐지만 6개월가량 약을 먹으면서 점차 몸이 회복되었다. 그런 즈음에 좋은 일도 생겼다. 사수가 회사 역사를 편찬하는 일에 박차를 가하며 사보 업무에서 완전히 손을 뗐다. 입사 일 년 만에 드디어 숨통이 트였다. 어떤 순간도 영원한 것은 없었다.

다시 위기가 찾아왔다. 2년 재계약을 앞두고 있을 때였다. 사수가 진행하던 회사 역사 편찬 작업이 마무리되었다. 그가 제자리로 복귀하면서 내 입지가 흔들렸다. 하루하루 가슴 졸이며 시간을 보냈다. 계약 기간 종료일이 임박했을 때 다시 한번 위기를 넘겼다. 팀장의 지지와 계열사 홍보를 총괄하던 선배의 도움을 받아 홍보실로 부서 이동하게 된 것이다. 게다가 동시에 정규직으로 전환되었다.(후일담으로 사수도 홍보실에 자리를 옮기기 위해 물밑 작업하며 나와 경쟁했다는 이야기를 나중에 듣게 되었다.) 십 년 묵은 체증이 내려간 듯했다. 내 인생에 악역이 있으면 은인도 만나기 마련이었다. 일 년 후 사수가 사보 팀장으로 옮겨와 다시 만났지만 일에 대한 근력이 붙어 그의 존재감은 작게 느껴졌다. 매달 60페이지 넘는 분량의 사보 편집 업무를 감당하며 시스템적으로 일하는 방법을 터득했다. 때때로 업무량이 버거웠지만 마음은 한결 가벼웠다.

업무에 익숙해지자, 연애 세포가 꿈틀댔다. 사내에 큐피드의 화살이 오가며 누구누구랑 연애한다더라, 소문이 무성했다. 나 또한 남자 직원들과 퇴근 후 술자리를 가지며 연애 감정이 싹텄다가 사그라들길 반복했다. 기대와 실망이 밀물과 썰물처럼 오갔다. 남녀 간의 쌍방향이 아닌 연애 감정에 피로감을 느끼면서도 조바심이 났다. 결혼과 함께 하나둘 퇴사하는 동기들의 모습을 지켜보며 내심 부러웠다. 회사 업무에 권태를 느끼던 터라 결혼만이 유일한 탈출구로 다가왔다.

결혼은 하고 싶은 마음이 생길 때 옆에 있는 사람이랑 하는 거라고 누군가 그랬다. 직장을 그만두기 위한 대안으로 결혼을 꿈꾸고 있을 때 지금의 남편을 만났다. 청주에서 나를 만나러 올라왔던 주재기자의 친구의 친구였다. 주재기자가 서울에 올라와 내게 연락할 때마다 부담스러워 친구와 동행했고 그도 친구를 불렀다. 불려 나온 쌍방의 친구들이 주선한 미팅에서 남편과 나만 이어졌다. 그 당시 남편은 스물여덟에 대학을 갓 졸업한 취준생이었다. 연애를 시작하고 얼마 지나지 않아 취업했지만, 어려운 환경에서 성장해 비빌 언덕이 없었다. 결혼 준비가 되어 있을 리 만무했다. 하지만 결혼하고 싶은 마음이 현실을 이겼다. 나보다 더 좋아해주는 남편에게 편안함을 느꼈고 결혼하면 모든 일이 잘될 것 같은 비현실적인 환상에 사로잡혔다.

· 3막 ·
걷다

내 나이 스물일곱에 한 살 더 많은 남편을 만나 다음 해 12월 결혼했다. 곧바로 배 속의 아이와 함께 세 식구가 되었다. 가정의 주체가 되는 일은 변수를 껴안는 일이었다. 친정 부모님은 '사람 좋은데 돈이 없어 고생길 훤하다'라며 걱정했고 시부모님은 '모아둔 돈 없이 벌써 결혼한다'라며 당황스러운 눈빛이었다. 연애와 결혼이 그렇듯 우리는 콩깍지가 씌어 결혼했다. 전세보증금과 결혼식 비용을 모두 대출받았다. 스물여덟 살 7월에 입사해 1년 반 만에 결혼하는 당시 남편 월급이 대기업 6년 차에 퇴사한 내 월급보다 작았다. 그런데도 경제활동에서 벗어난 내 마음은 자유로웠다.

한 달, 두 달, 석 달…. 태아의 신비를 느끼며 소꿉장난 같은 신혼생활을 이어갔다. 3.65kg인 아들을 난산으로 출산했다. 아이가 자라 8개월이 되자 집안 곳곳을 기어다니며 물건을 만지고 빨며 탐험했다. 돌이 지나 리듬에 맞춰 춤을 추었고 혀를 굴리며 원어민처럼 알파벳 발음을 굴렸다. 그럴 때면 내 아이가 천재일지도 모른다는 착각에 빠졌다. 아이의 우는 몸짓도 사랑스러워 혼을 내다가도 웃음을 터트렸다.

그런 마음이 영원할 수 있다면 얼마나 좋을까. 행복한 순간은 찰나에 그쳤다. '잠시 맑은 후 먹구름이 계속되겠습니다.'라는 날씨 예보와도 같이 육아에 점점 지쳤다. 화병 속에 꽂아둔 생화처럼 감정이 메말랐다. 낯선 얼굴이 거울 속에서 나를 무표정하게 응시했다. '직장을 그만두지 않았더라면 나는 지금 다른 표정을 짓고 있을까?' 와이셔츠에 넥타이를 맨 양복 차림으로 출퇴근하는 남편이 부러웠다. 그제야 직장 다니던 시절이 몹시 그리웠다. 지친 육아와 매달 적자 나는 가계부에 힘들어하는 자신이 한없이 초라했다. 내가 원했던 건 이런 모습이 아니었다. 이렇게 계속 살아가야 하는 걸까. 멍하니 창밖을 바라보았다. 그럴 때면 마치 무언가를 아는 듯이 아이가 팔을 잡아당기며 안아달라고 떼를 썼다. 이제는 예전처럼 마음대로 항로를 변경할 수도 없는 '엄마'였다.

뭐든 시작하자! 불현듯 가느다란 의지가 불끈 솟았다. 거울 속 무채색의 얼굴을 걷어내고 싶었다. 남자의 아내 아들의 엄마라는 배역에 그칠 수 없었다. 마음속 깊은 곳에서 결핍의 페달을 밟고 벗어나고자 하는 욕구가 꿈틀댔다. 마을 소식지를 가져와 채용 공고를 뒤적였다. 인근 학원에서 아이들 글쓰기 선생님을 모집한다는 내용이 눈에 들어왔다. 어린이집에 아이를 보내고 오후 시간만 시간제로 수업했다. 수입은 용돈벌이에 그쳤다. 그마저도 아이가 감기에 걸리거나 아프면 수업을 지속하기 어려웠다. 결혼 전 부모님 집에서 하숙생처럼 출퇴근하던 시절이 꿈만 같았다. 직장 수입과 비교하며 경력 단절된 현실을 뼈아프게 느꼈다.

그런 순간에 드라마에서는 극적인 일이 벌어졌다. 인생이 드라마고 드라마가 인생이라면 나에게도 그런 에피소드 하나쯤 생기지 말란 법은 없었다. 어느 책에선가 작가가 되려면 인생의 파고를 넘어야 한다는 문장을 읽은 기억이 난다. 글 속에 담긴 뜻을 유추하며 마음이 편치 않았다. 작가는 되고 싶은데 파고는 겪고 싶지 않았다. 그런 마음조차 예정된 복선이었을까.

결혼 후 3년 만에 A로부터 연락이 왔다.(A가 누구인지 구체적으로 지칭하지는 않겠다. 각자 생각에 따라 다르게 받아들일 수 있는 내 관점의 이야기이고 이제 기억조차 희미해졌다.) A는 전 직장에서 내가 힘들 때 업무적인 조언을 많이 해주었던 사람이다. 나뿐만 아니라 타인에게 호의를 베풀고 호감을 주는 사람이었다. 그는 이직한 회사에 근무하면서 아내와 함께 투잡으로 자영업을 병행하고 있다고 말했다. 그러면서 같이 일해볼 의향이 있는지 나에게 물었다. 좀 더 돈이 되는 일을 찾고 있던 터라 오랜만에 연락을 준 A가 반갑고 고마웠다.

A와 그의 아내 B를 만나 구체적인 내용을 들었다. 개인사업자로 회사와 제휴한 업체의 상품을 고객에게 유통하는 일이었다. 온라인 쇼핑몰이 있지만 보편화되지 않아 직접 판매 형태로 사람들을 만나 고객을 늘려간다고 얘기했다. 모든 게 생소하게 다가왔지만, 노력한 만큼 돈을 벌 수 있다는 얘기에 솔깃했다. 같은 일을 하는 사람들끼리 그룹으로 연대해 상생하는 일이라며 도와주겠다고 덧붙였다. A 부부를 신뢰하는 마음이 커 해보기로 마음먹었다.

아이를 어린이집 종일반에 맡기고 현실적인 목표를 세웠다. 돈을 많이 벌고 싶었다. 넓은 집과 좋은 차, 눈에 보이는 것들에 대한 욕심이 생겼다. 곧바로 일을 시작했다. 지인들을 만나 상품을 소개하며 고객을 늘려갔다. 지지해 주는 사람의 응원과 거절하는 사람의 쓴소리를 들으며 마음이 시소를 탔다. 하지만 인내심과 끈기를 가지고 일을 지속했다. 초기에는 버는 돈보다 나가는 돈이 더 많았다. 고객에게 전달할 제품을 먼저 써보고 갖춰 입고 나갈 옷이며 경비가 필요했다. 서서히 사람들의 지갑을 열어 내가 원하는 결과를 끌어냈다. 수입으로 연결되어 뿌듯하고 재미있었다. 사람들과 부대끼며 개인주의적인 성향이 이타적인 성향으로 조금씩 변화되었다.

그래서 안도했던 탓일까. 아니면 방심했던 탓일까. 사람들과 공동의 목표를 가지고 높은 매출을 올리는 일에 선뜻 동참했다. A 부부가 중심이 되어 진행하는 팀이었다. 하지만 의욕이 충만했던 만큼의 매출이 따라오지 않았다. 나와 고객의 상황에 변수가 발생

했다. 목표했던 대로 결과를 내지 못했다. 결국 A가 아닌 그의 아내 B와 갈등을 빚었다. B는 원칙과 목표 의식이 강해 종종 사람들하고 마찰을 일으켰다. 그녀는 팀의 속도에 못 미치는 나를 싸늘한 눈빛으로 외면하며 사람들 속에서도 소외시켰다. A는 그런 아내의 눈치를 보며 방관했다. 목표와 수익이 연계된 사람들의 관계는 종잇장처럼 얇았다. 나는 그들에게 맞설 용기도 내지 못한 채 치밀어오르는 분노와 배신감을 느끼며 홀로 삭혔다.

사람들 속에서 그림자처럼 지내는 날이 지속되었다. 갈수록 자신감이 떨어졌다. 혼자서 할 수 있는 일의 성과도 줄어들었다. 지출 규모를 키운 탓에 경제적인 어려움이 가중되었다. 하지만 쉽게 포기할 수 없었다. 고객과 만들어 온 신뢰를 저버리고 싶지 않았다. 누군가로 인해 삶이 좌지우지되는 것도 견딜 수 없이 화가 났다. 쉽게 그만두면 다른 어떤 일도 잘 해낼 수 없을 것 같았다. 나는 무리에서 겉돌며 젖은 신발을 신은 채로 홀로 걸었다.

때때로 모든 걸 내려놓고 싶은 충동이 일었지만, 상상에 그쳤다. 부정 속에서도 긍정의 말을 붙들려고 노력했다. '실패는 성공의 어머니'라는 문장을 혼잣말로 곱씹었다. 특별하지 않은 문장이었는데도 묘하게 위안이 되었다. 그러면서도 '실패는 빠를수록 좋아.' '나이 들어 실패하면 재기하기 힘들다잖아.' 남의 일엔 무심히 던졌을 말을 내게 적용하기는 쉽지 않았다. 그동안의 노력이 헛되었다는 걸 인정할 수 없었다. 속은 타들어 갔지만 괜찮은 척 아무렇지도 않은 척 내색하지 않으려고 애썼다. 이러지도 저러지도 못한 채 더디 흘러가는 시간 속에 갇혀 제자리걸음을 반복했다.

· 4막 ·
나를 부르신 이

어느 여름밤이었다. 고객으로 인연을 맺은 친구 집에서 늦은 시간까지 대화를 나누었다. 친구 남편은 지방 출장 중이었고 초등학생 딸은 방 안에서 잠이 들었다. 그날따라 이야기가 길어졌다. 긴장이 풀어졌는지 나도 모르게 긴 한숨이 새어 나왔다. 친구가 예리한 눈빛으로 말없이 나를 바라봤다.

“무슨 일 있는 거지? 뭔데, 얘기해 봐.”

망설임 끝에 나는 마음의 빗장을 열었다. 속사포처럼 답답한 속내를 털어놓는 것만으로도 가슴이 후련했다. 친구가 신뢰를 저버린 A 부부에게 화를 내며 내 편을 들어 주었다. 울컥 눈물이 났다. 나의 잘못만은 아니라고, 좋을 때도 힘들 때도 변치 않는 게 중요하다며 나를 감쌌다. 그러고는 잠시 생각에 잠겼다. 세상 속에 우리 둘만이 존재하는 것처럼 적막했다. 잠시 후 친구가 성경책을 가져와 하나님 말씀을 읽어주었다. 어떤 말씀이었는지는 정확히 기억에 남아있지 않다. 그 순간 얼어붙은 마음이 봄눈 녹듯 녹아내렸다. 영문도 모를 뜨거운 눈물이 볼을 타고 흘러내렸다. 친구가 교회에 다니는 걸 알고 있었지만 먼저 종교 이야기를 꺼낸 건 그날이 처음이었다. 나 또한 누군가 종교를 물어보면 불교라고 답하던 사람이었다.

그날 밤 이후 말로 표현할 수 없는 마음의 변화가 일어났다. 이전까지 붙들고 있던 것들이 부질없게 느껴졌다. 한 걸음도 나아가지 못했던 발걸음을 앞으로 내디뎠다. 어디서 그런 용기가 샘솟았을까. 얼마 지나지 않아 나는 A, B와 불편한 채로 이어오던 관계를 정리했다. 그들 속에서 마지막까지 온기를 되찾아 보려고 애

쓰던 마음을 거두었다. 그들만의 공간에 발길을 끊었다. 뒤늦게 연락이 왔지만 받지 않았다. 자신들의 뜻에 부합하지 않는다는 이유로 따돌리는 그들에게서 마침내 벗어났다. 하나의 문을 닫으니 새로운 문이 열렸다. 그전엔 보이지 않던 것들이 보였다. 공백 기간을 두고 같은 업종의 다른 그룹으로 소속을 옮겼다. 고객들에게 조심스레 상황을 이야기하자 개의치 않았다. 그들은 나와 맺은 신뢰와 서비스가 더 중요하다며 응원해 주었다.

이와 동시에 친구의 전도로 교회의 문을 열었다. 불교에 적을 두었지만 믿음이 컸던 것은 아니었다. 부모님으로부터 물려받은 정서적인 유대로 이어오던 것이었다. 어느 날 친구가 나를 교회 행사에 초대했고 장로 교회의 알파 과정으로 인도했을 때 아무런 거부감도 생기지 않았다. 문밖을 서성이고 있던 사람처럼 문이 열리자마자 스스럼없이 걸어 들어갔다. 곧이어 남편도 아이도 함께 자리했다.

세상을 바라보는 마음도 조금씩 달라졌다. 경제적인 상황은 어려웠지만 마음 온도는 올라갔다. 반면에 물질에 대한 욕망은 서서히 사그라들었다. 내가 걷어낸 건 무엇이었을까. 누군가는 별 탈 없이 잘도 이루는 성공, 명예, 돈을 거머쥐고 싶은 욕구가 나한테는 욕심이었을까. 가랑비에 옷 젖듯 말씀이 스며들었다. 나의 의지를 걷어내고 믿음으로 충만한 날들이 찾아왔다. 그제야 나를 부르신 이의 소리에 귀 기울이며 마음으로 응답했다. 지금껏 붙잡으려 애쓰던 것들이 삶의 중심에서 썰물처럼 빠져나갔다. 눈에 보이는 것들에 집착해 오던 모든 순간이 나에게는 욕망의 시간이었고 물욕이었다고 스스로 인정했다.

이후 나는 찬양 음악과 예배 말씀을 상비약처럼 곁에 두고 치유했다. 힘든 순간이 찾아올 때마다 간절한 기도와 간구로 구하며 오뚝이처럼 일어섰다. 그런 시간 속에 가진 것 없어도 평온한 날들이 선물처럼 찾아왔다.

어느 날이었다. 목사님 말씀이 가슴 깊이 파고들었다.

"어떻게 살아야 할지 고민되십니까? 단순한 삶, 우리 곁에 이웃이 있고 충분히 소유하되 아무것도 소유하지 않는 삶을 사십시오. 사라질 것을 붙들지 마십시오. 지금, 이 순간을 누리십시오."

어렴풋하게나마 어떻게 살아야 할지 알게 되었다. 의지를 내려놓고 힘을 빼자, 몸과 마음이 가뿐했다. 붙잡으려 할 때는 손에 잡히지 않던 것들이 곁에 머물렀다. 먹고 사는 일에 힘겹지 않을 만큼 삶이 나아졌다. 사람들의 온기를 느끼며 웃고 있는 나를 발견했다. 지우고 싶었던 기억들도 담담히 대면하게 되었다.

· 5막 ·
J의 부캐

한동안 평온했던 삶에 변곡점이 찾아왔다. 코로나19가 가져다준 '시간'이었다. 2020년 봄 사회적 거리 두기로 외부 활동이 제한되면서 집에 있는 날이 늘어났다. 여느 일처럼 처음에는 우왕좌왕하다가 차츰 적응해 나갔다. 원래의 자리로 돌아가기까지 얼마나 걸릴지 예측할 수 없었다. 그런 가운데 온라인 쇼핑몰이 비대면 택배 배송으로 뜻밖의 호황을 누렸다. SNS, 카톡, 우편발송을 활용한 고객 관리도 도움이 되었다. 우연한 계기로 배워둔 코칭(Coaching) 과정과 코치(Coach) 자격이 비대면 소통의 틈을 메워주었다. 지난 시간과 노력의 축적이 만들어 준 뜻밖의 결실이었다.

여백의 시간이 늘자, 바쁘게 움직였던 몸의 근육이 요동쳤다.

줌(Zoom) 활용으로 노트북 앞에 자주 앉아 있는 시간이 많아지면서 짬짬이 인터넷 정보를 서핑했다. 몸으로 기억하는 감각이 먼저 반응했다. 손가락으로 키보드를 두드리며 노트북으로 원고를 쓰던 감각이 되살아났다. 나는 책을 읽고 글을 쓰던 사람이었다. 한때 작가를 꿈꾸었지만 내 삶이 너무 단조로워 글을 쓸 수 없다고 생각했다. 그렇게 이십 년 세월이 쏜살같이 흘렀다. 이제야 쓸 수 있는 이야기들이 정리되지 않은 채 기억 속에서 맴돌았다.

예정된 인연이었을까. 2년 전 코치 모임에서 만난 동기가 브런치 작가로 활동한다고 했던 말이 떠올랐다. 코치 동기의 소개로 온라인 책 모임과 글쓰기 모임에 첫발을 내디뎠다. 취향이 비슷한 사람들과 줌(Zoom) 화면 속에서 책과 글이라는 공통 주제로 만났다. 폭넓게 문학 작품을 읽고 토론하며 첫사랑을 만난 것처럼 설레었다.

이어 블로그를 개설했다. 독후감에 가까운 서평과 일상 에세이를 기록으로 남겼다. 블로그 이웃이 늘었다. 글에 담긴 언어로 서로를 알아가고 댓글 소통하며 인연을 맺었다. 이웃의 권유로 12월 한 달 동안 전문가에게 블로그 무료 코칭을 받게 되었다. 전공과 관련하여 책 문학으로 분야를 정했고 닉네임을 주제와 연결해 바꿨다. 내 이름에서 가운데 글자인 '옥돌 민'의 의미를 가져와 '인생은 여행'이라는 개인적인 취향을 덧붙였다. '맑은 물 가운데 옥돌'이라는 뜻으로 아버지가 지어주신 '옥돌'의 의미는 타고난 재능, 지혜를 뜻했다. 궁리 끝에 '지혜를 찾아 떠나는 여행', '옥돌여행'이라는 부캐를 만들었다. 닉네임이 마음에 쏙 들어왔다.

새로운 도전이었다. 매일 책을 읽고 노트북 앞에 앉아 서평 쓰기를 반복했다. 그 밖에도 하루에 50명씩 '서로 이웃'을 추가해 이웃 수 늘리기, 제목 뽑기, 단락 구분하기, 사진 배치 등 세부적인 과제를 수행했다. 매일 새벽 서너 시가 되어서야 글을 완성했다. 몸이 힘들어 포기하고 싶은 마음이 굴뚝같았다. 그럴 때마다 무료 코칭을 받은 것에 보답해야 한다는 책임감이 흔들리는 마음을 붙잡아주었다. 하루 한 권의 책을 소화하기 힘들어 쪼개 읽고 서평을 여러 개의 글로 나누어 발행하는 꼼수도 부렸다. 그렇게 완성한 20개의 글을 블로그에 발행하며 내 앞에 놓인 허들을 힘겹게 넘었다.

뿌듯한 마음으로 2021년 새해를 맞이했다. 서평 쓰는 블로거로 나름의 원칙과 글 쓰는 루틴을 만들었다. 잘 쓰는 것보다 주 1편의 글을 완성하는 데 목표를 두었다. 일주일에 한 편을 쓰지 못하면 한 달에 한두 편이라도 쓰려고 노력했다. 적게 쓰더라도 꾸준히 이어가면 1년에 12개에서 48개가 쌓인다고 스스로 다독였다. 누구도 나에게 강제하지 않았지만, 자신과의 약속을 지켜나갔다. 음식을 꼭꼭 씹어 소화하듯 책 속의 지혜와 인생의 가치를 서평 글로 꾹꾹 눌러 담았다. 20대에 문학을 전공하며 책을 손에서 놓지 않았던 몇 년의 시간이 삶 가운데 흔들리는 나를 지탱해 주었던 때를 상기했다. 그런 과정에서 서평 콘텐츠로 브런치 작가가 되었다.

그로부터 2년이 지나 블로그에도 브런치에도 100개가 넘는 서평 글이 쌓였다. 주변에서 그간의 노력을 인정하고 칭찬했다. 책과 글의 세계를 확장해 독서토론 리더 과정도 단계별로 밟아왔다. 참여자에서 한 걸음 나아가 직접 논제를 뽑고 진행하는 독서토론 리더로 길을 넓혔다. 그뿐만 아니라 시간 관리와 느슨해지는 마음을 붙들기 위해 타인의 시스템을 활용했다. SNS 커뮤니티에 속해 다양한 책 모임과 서평, 에세이, 소설 쓰기 모임으로 확장했다. 곁가지로 사이버학습을 활용해 심리학과에 편입했고 4년에 걸친 공부 끝에 심리학사 학위를 받았다.

어느 날 SNS 지인이 나에게 물었다.

"옥돌여행님, J죠?"

요즘 화두인 MBTI 성격 유형에 관한 질문이었다. 나는 성격 유형이나 취향 탐색하는 일에 관심이 많아서 MBTI 진단 테스트를 여러 번 해본 상태였다. 최근에 진단한 나의 성격 유형은 ENFJ로 나왔다. I와 E, S와 N, T와 F 사이에서 경계를 넘나들지만 유일하게 P보다는 J가 분명한 계획형 인간이었다. 20대에 직장생활하며 일정 관리와 메모 습관을 밀도 있게 해온 경험이 몸에 체화되었고 부캐를 만드는 데 일조했다.

그러는 사이 코로나19의 장막이 걷혔다. 나는 숙제를 끝내지 못하고 수업 시간을 맞이한 학생처럼 당황스러웠다. 온택트(Ontact) 문화가 고유의 영역으로 자리 잡은 것과 별개로 사람들은 원래의 자리로 돌아갔다. 나만 홀로 갈대처럼 흔들리며 어느 곳에도 마음을 두지 못했다. 어느 날은 숲속의 두 갈래 길을 걷다가 내 마음을 돌아보듯 멈추었다. 여전히 현실과 이상의 틈바구니에서 망설이는 자신을 발견했다.

인생의 후반전을 어떻게 살아갈 것인가. 지금의 나를 만들어 온 시간을 돌아보고 재정비해야겠다는 생각이 들었다. 세상 속에 던져진 그날 이후 허약했던 유년 시절, 자신을 알아가던 학창 시절, 새장 밖으로 날개를 펼치던 직장·결혼 생활, 실패와 좌절을 맛보았던 자영업, 믿음으로 회복되어 온 발걸음을 되짚어 보았다. 마음속에 떠돌던 생각들이 하나하나 연결되어 단단해지는 자신을 만났다.

· 에필로그 ·
줌 인 줌 아웃

마침내 나는 깨달았다. 생각 언저리를 맴돌던 것들의 실체를 받아들였다. 결혼과 함께 결핍이 만들어 낸 길을 따라 걷다가 방향을 잃어버린 것이다. 풀숲을 헤매던 끝에 나를 부르신 이의 음성을 듣고 희미한 빛을 따라 다시 길 위에 올라섰다. 줌(Zoom) 인(in) 줌(Zoom) 아웃(out). 줌 안으로 들어가 줌 밖으로 나왔을 때 새로운 길이 열렸다.

인생은 종종 우리를 선택의 갈림길에 세운다. 어느 길로 나아갈 것인가. 어떤 선택도 고유한 나를 비켜 가지 않을 것이다. 그러한 믿음으로 나는 단수가 아닌 복수의 길을 선택했다. 본업과 부업의 비중을 달리했다. 자영업에 쏟아왔던 시간과 노력의 비중을 과감하게 줄였다. 카카오톡, 문자, 우편발송을 활용한 고객 관리로 일의 양을 최소화했다. 쉽지 않은 선택이었다. 그런데 지난날의 헛수고 같은 수고가 쌓여 작지 않은 수입이 발생했다. 부캐에 집중할 수 있는 시간을 벌어주었다. 줌(Zoom) 결제도 처음 의도와 달리 자기 계발 모임을 위한 용도로 비용을 냈다. 온라인 쇼핑몰 운영을 위해 사람들과 협업해 오던 교육, 공부 등을 위한 가상회의는 서서히 마침표를 찍었다.

시냇물이 흘러 강물이 되고 강물이 흘러 바다가 되는 것처럼 사소한 것들이 한데 모여 지금의 나를 만들었다. 좋았던 순간도 힘들고 아팠던 순간도 헛된 수고로움은 없었다. 이제야 쓸 수 있는 이야기들을 차근차근 불러 모아 퍼즐 조각 맞추듯 촘촘해진 나를 돌아보고 있다. J, 계획형 인간으로 다듬어지고 단단해진 나는 부캐 속에 하나의 길이 아닌 여러 개의 길을 연결해 고유한 나만의 길을 만들어 간다.

"당신은 어떤 사람인가요?"

누군가가 나에게 물을 때 'N잡러'이자 '인디펜던트 워커(Independent Worker)'라고 답하는 사람이 되었다. 줌(Zoom) 인(in) 줌(Zoom) 아웃(out). 줌 안으로 들어가 줌 밖으로 나오며 부캐의 옷을 입었다. 올봄 SNS 책 모임을 열었고 여름엔 숭례문학당에 <노벨 문학상 수상작 함께 읽기> 모임을 개설했다. 무언가에 이끌리듯 단편소설을 쓰기 시작해 공저로 『행복 더블 클릭』을 출간했다. 지금은 나의 삶을 돌아보는 미니 자서전이자 에세이를 퇴고하며 공저 출간을 앞두고 있다. 게다가 얼마 전 <브런치 스토리> 매거진으로 발행하는 '옥돌의 서평집'이 연결 고리 되어 월간지 서평 연재를 준비하고 있다. 이런 제안을 받았다는 사실이 믿기지 않아 가끔은 제안 메일을 다시 들여다본다. 어떤 일이 일어날지 기대하지 않고 묵묵히 나아왔는데 그간의 노력을 인정받은 것 같아 희열을 느낀다. 아직 시작에 불과하지만 기분 좋은 신호에 가슴이 벅차오른다. 인생은 종종 보이지 않는 내일의 열매를 얻기 위해 먼저 믿고 선택하고 시도해 보라고 신호를 보낸다. 그럴 땐 마음의 소리에 귀 기울여야 한다.

요즘 나는 바쁜 날들을 보내면서도 종종 한가하다는 착각에 빠진다. 오랜 세월 사람들과의 관계 속에서 역동적으로 살아왔던 습관이 몸에 밴 탓이다. SNS로 진행되는 일들을 소리 없이 해치우며 아메리카노 한 잔의 여유를 누린다. 한가하면서도 바쁜 일상이 매일 매일 쌓여 나의 삶이 된다. 손안의 휴대전화로 일정을 관리하고 SNS로 소통하며 사이사이 글을 쓴다. 마음이 허전할 때는 앱을 열어 찬양을 듣고 유튜브 영상으로 예배 말씀을 듣는다. 산책 중에도 여행 중에도 이 모든 게 가능하다. 길을 걷다가 아이디어가 떠오르면 음성 인식 프로그램을 이용해 말로 글을 쓴다. 궁금한 건 인공지능 AI 앱을 열어 물어본다. 어쩌면 나이 들어도 은퇴 없이 여러 일을 상당 기간 해나갈 수 있을 것이다. 그렇게 나는 J의 부캐를 입고 여러 갈래로 난 길에 고유한 나의 발자국을 남기며 뚜벅뚜벅 걸어갈 것이다.

<이 글은 전반전의 나를 되돌아보고 재발견해 내는 미니 자서전이다. 형식에 구애받지 않고 '이제야 쓸 수 있는 이야기'들을 마음 가는 대로 써 내려가는 에세이다. 아울러 지금까지 열심히 살아온 나에게 보내는 헌사다.>

강성욱

오늘을 바라보는 눈

– 잃어버린 사진

단수필_밤의 차도

깊은 밤의 도로는 한가운데 놓인 가로등 백열전구의 주황빛으로 가득하게 물든다. 시계는 열두 시 즈음을 가리킬 때가 좋다. 어둠과 빛이 오묘하게 섞인 이곳에 몸 싣고 달릴 때면 한낮의 그곳과 다르게 무척이나 기묘한 기분을 안겨준다. 분명 평소와 마찬가지로 운전자의 의무를 다해 달리지만 세상과 동떨어져 밤물결에 실려 떠내려가는 듯한 기분은 낯선 감촉을 만들어낸다. 이것은 약간의 긴장에 젖은 등과 뻣뻣해진 다리와 브레이크와 액샐러레이트를 오가며 밟는 발끝까지 감싸고, 이내 두 손으로 인도하고 있는 자동차와 한 몸이 된 것 같다는 결론에 다다른다.

앞뒤로 가득 찬 바퀴 달린 쇳덩어리 때문에 꼼짝없이 기다시피 갈 수밖에 없었던 오는 길의 광경이 몇 시간 전이었던 것이 믿기지 않을 만큼 밤의 도로는 원활했고, 적막이 흐르지 않는 대신 저마다 바삐 나를 지나쳐 가는 차들로 고요하면서 또한 상기돼 있었다. 밤 12시. 올 때처럼 서울을 가로지르는 경로를 피할 이유가 없으니 걱정 없이 올림픽 대로에 들어선다. 통제하지 못할 속도로 신경을 긁어내는 고통을 감수하고 싶지 않아 항상 적정 속도를 지키며 달린다.

저마다 비슷하게 달리는 와중에 항상 바쁜 이들이 있다. 사이드미러에 잡힌 이들의 모습을 인지하기도 전에 빠르게 튀어나와 내 옆을 스치고, 그들이 만들어낸 순간의 굉음과 바람은 내 차를 휘청이게 만든다. 멍해진 정신을 붙잡고 좌우로 눈을 돌려보지만 남은 건 잠시 깜짝 놀랐던 내 정신뿐. 빨갛게 물들인 뒤꽁무니를 달고 어디를 그리도 바쁘게 가는 것일까. 저들의 목적지는 이 도로 끝에 있는 것일까. 달리는 것이 유일한 목적일까.

일자로 이어지던 도로가 왼쪽으로 오른쪽으로 굽이친다. 때로는 위로 다시 아래로 높낮이를 만들며 출렁거리기도 한다. 집중하는 와중에 묘한 감정에 물들어 멍해지는 정신을 다잡으라는 신호일까. 이런 증상을 보이는 것이 내가 최초는 아닐 테니 귀납법에 따른 도로 설계일까. '5km 이상 직진 주행하는 경로입니다'를 반복하는 내비게이션의 음성에 잠깐씩 현실로 떠올랐다가 다시 가라앉기를 계속하며 끝이 보이지 않는 도로 저 너머를 주시한다.

이 길은 어디서 끝나는 것일까. 순간순간 이대로 끝없이 달리는 것도 나쁘지 않겠다는 생각이 불쑥 치솟음을 느낀다. 조제가 마지막으로 바랐던 조개껍질이 드문드문 뿌려져 있는 백사장을 품은 바다가 나올 때까지 달려보는 것도 좋지 않을까. 한 번의 터치로 정해둔 목적지는 쉽게 사라진다. 몇 번의 손가락에 맞춰 무수히 많은 장소가 나타나고 사라진다. 어디든 좋지 않을까.

화면에 찍힌 숫자가 조금씩 작아지는 광경을 슬쩍 확인하고 다시 앞을 바라본다. 한 자세로 오래 고정해둔 팔과 손을 풀어 운전대 여기저기로 옮겨둔다. 뻐근한 왼 다리를 몸 쪽으로 당겨두고 왼손을 무릎 위에 포갠다. 블루투스로 연결된 핸드폰에서 가끔 이 공기와 이 어둠과 이 순간에 맞지 않는 음악을 토해내 달리는 작은 공간을 채워도 굳어버린 목을 더욱 굳히며 앞만 보며 달린다.

숫자는 점점 더 작아져 간다. 서울을 횡단하는 도로가 끝이 나고 어느새 행정구역은 인천으로 바뀌어 있다. 이 길에도 결국 끝이 있음을 조금씩 체감하기 시작한다. 때가 되면 길을 바꿔 새로운 길에 올라야 한다. 이 방향이 싫다면 다른 길을 택해 조금 돌아가도 좋다. 도착시각을 정해두지 않은 한밤의 운전은 경로 이탈이 전제되는 행위이고 따라서 도착하는 그 순간이 도착시각이 되기 때문이다.

있어야 할 곳 돌아와야 할 곳에 돌아와 멈춰 선다. 열쇠를 돌려 동력을 끊어도 한 시간 이상 흐르던 열기가 어딘가 아직 고여있는 듯하다. 주차장 계단을 밝히는 작은 불빛을 따라 걸어 올라오면 아파트는 잠이 들어있다. 나무도 화단도, 빈 곳 없이 빼곡히 주차된 자동차도 전부 잠이 들어있다. 검정 바다에 맺힌 주황 파도에 몸 싣고 달리던 기묘한 밤의 운전도 샛별이 반기는 이곳에 다다르며 끝이 났다.

단수필_창문

눈이 떠졌다. 분명, 내 의지로 눈을 뜨지 않았다. 눈이 떠졌다. 이른 아침 잠결에 손 뻗어 닿지 않도록, 두 걸음씩이나 걷게끔 먼 곳에 둔 핸드폰으로 걸어간다. 시간은 8시를 가리키고 있다. 설정해 둔 알람까지 분침이 두 바퀴는 더 돌아야 한다. 다시 잠들고 싶어도 이미 날은 밝아있다. 슬그머니 내려앉은 어둠에 인사하고 몸을 맡긴 게 조금 전 같은데 어느새 햇살이 내 옆에 몸을 뉘고 있다. 알람이 울리려면 한참 남았으니 다시 누워도 조그맣게 칭얼거리는 녀석 덕분에 결국 다시 앉는다. 아침 햇살이 싫어 두껍고 진한 색의 커튼을 달았지만 창문 양쪽 끝 붙박이 신세로 만든 그 어느 밤부터 이미 예견된 일이라 내 얼굴을 간지럽히는 녀석의 손길을 잠시 원망하다가도 피식 웃고 만다.

공동 현관문이 열리면 천천히 발을 내디뎌 며칠만의 바깥공기에 인사한다. 밤새 서 있던 나무 할아버지는 18년 전이나 오늘이나 늘 정정하시다. 아침마다 찾아와 안부 인사 전하는 수많은 손자 손녀들 덕분이겠지. 소중한 이를 만나는 약속, 일과 관련된 중요한 약속이 없는 한 서울 근처로도 발걸음 하지 않는 일상에 최근 변화의 바람이 불어 일요일에도 집을 나선다. 한강을 건너 합정역까지 이어지는 경로가 기다리는 일요일이다.

버스에 올라탈 수도 있고 지하철에 몸을 실을 수도 있다. 조금 더 편한, 편리하면서 편안한 이동을 원하면 버스를 타야 한다. 앉아서 갈 수 있음이 보장되는 편안함이다. 배차 간격이 길어 시간이 맞지 않으면 꽤 오래 기다려야 하는 사실은 살짝 덮어둬야 한다. 기다림의 귀찮음이 불쑥 튀어나온다면 빨리 지하철역으로 발걸음을 옮겨야 한다. 다소 먼 환승 구간을 걸어야 하는 일이 당장은 생각나지 않는다면 지하철이 정답이다.

해가 떠 있는 시간대에 지하철을 선택하는 결정은 지나야 하는 경로와 밀접한 관계를 가진다. 그리고 합정역을 목적지로 둔 경로에서 환승을 감수하는 이유는 중간에 한강을 건너기 때문이다. 열차의 넓고 큰 창밖으로 멀리 뻗어가는 하늘을 볼 수 있다는 이유 때문이다. 그 아래 펼쳐지는 수평선이 그곳에 있기 때문이다.

몇 번의 해외여행에서도, 당일치기 나들이도, 하루를 살아가는 매일에도, 고층건물에 막힌 답답한 시야를 상당히 싫어한다. 홀로 거닐 적에 유명한 카페를 찾기보다는 산과 들과 나무와 강과 바다를 찾으러 떠나는 이유다. 두 눈에 담을 수 있는 세상의 크기는 저 검은 우주만큼 넓고 크다. 따라서, 볼품없는 이름이 덕지덕지 붙은 시멘트 덩어리에 질색하지만 그 모든 것을 내려다볼 고도에 다다를 수 있다면 또한 그럭저럭 참을만하다.

도시살이를 깊게 짊어본 소회는 기회가 닿을 때마다 풀어 놓는다. 도시에서 벗어나지 못하는 소심한 망설임이 아쉽고 서글퍼 더욱, 눈앞이 답답하고 지평선에 감탄할 수 없는 도시의 풍경에 섭섭함을 여기저기 털어놓는다. 건물 안에서 자고 일어나 건물 안에서 일을 하고 건물 안에서 밥을 먹고 건물 사이에 갇혀 걷는 현실에서 탈출할 기회를 소망하며.

하지만, 아쉬움의 망망대해에 떠밀려 가면서도 전복되지 않고 끈질기게 버틸 수 있는 것은 밝은 낮을 베어 문 어둠이 내렸을 때 작은 유리창 아래 서 저 멀리 떠 있는 달과 별을 올려다볼 수 있기 때문이리라. 한낮의 한강을 건너가는 순간의 지하철 속 큰 유리창 너머로 검룡소에서 발원해 저 멀리 서해로 내달리는 물줄기가 자아내는 수평선에 경탄할 수 있기 때문이리라.

단수필_비

꼬질꼬질한 바지는 대충 접어 무릎 밑까지 끌어올린다. 무릎의 돌출된 정도만큼 바지를 단단히 잡아줄 테다. 실내화 주머니에서 밑창 더러운 슬리퍼를 꺼내고 난 빈자리에 아침에 신고 온 운동화를 대신 집어넣는다. 어느새 발끝 거뭇해진 양말은 뒤집어 가방 한구석에 구겨 넣는다. 처참한 사태는 피하고 싶으니 입고 있던 셔츠도 벗어 가방 가장 위쪽에 여러 겹으로 포개어 두고 가방 지퍼를 단단히 잠근다. 이제 모든 준비는 끝이 났다. 오늘은 빨래를 하는 날이고, 더러워진 슬리퍼를 닦는 날이고, 온몸 가득히 돌고 도는 혈기를 식히는 날이며, 여기저기 덕지덕지 묻은 시커멓게 죽어버린 온갖 감정의 찌꺼기를 씻겨 내는 날이다. 비가 오는 날은 그런 날이다.

중학교에 다닐 때에는 비가 오는 날은 인상이 찌푸려지는 그런 날이었다. 아무래도 학교가 산꼭대기에 위치해 등하교의 경로가 끝도 없이 이어지는 기울기가 살벌한 언덕으로 이루어져 있어서 그랬는지. 그에 비해 평지가 대다수에 아파트 단지가 겹겹이 이어져 늘 적절한 정도의 거름막이 형성되는 높고 울창한 나무가 가득했던 곳에서 보낸 고등학교 시절의 그 녀석은 비를 반갑게 맞이하는 아이였다. 자전거를 타고 등하교를 할 때도 걸어서 다닐 때도 비가 올 참이면 되려 더 천천히 이동하며 비를 맞곤 했다. 정확히 기술하자면 학교가 끝나고 집으로 갈 때에만 해당하는 이야기라고 해야겠다.

목욕탕 뜨거운 물에 몸 담그는 것도, 시원한 바다에서 수영하는 것도, 화려한 수영장에서 노는 것도 싫어하는 녀석이 유독 하늘에서 떨어지는 비는 좋아했더랬다. 운동화 대신 맨발에 슬리퍼 차림으로 바지는 무릎까지 걷어 올리고 물이 고여 있는 곳만 골라 밟으면서 그렇게, 천천히 천천히 떨어지는 비에 온몸을 적시면서 집으로 향했던 그때의 그 녀석의 모습이 흩어진 기억 속 빛바랜 사진들 사이에서 유독 눈에 띈다.

비가 온다. 비가 내린다. 내심 반기는 손님이니 비가 온다고 한다. 그렇게 해야겠다. 촉촉한 흙냄새가 청량한 웃음을 지으며 여기저기서 손을 흔든다. 인사가 반가워 자세히 보니 빗방울에 고개 흔드는 초록빛 이파리가 보인다. 새삼 또 반갑다. 흔들리는 손끝 사이로 이쪽 저쪽 튕겨 내 얼굴까지 달음박질치는 하늘서 오신 아기 손님 조심스럽게 안아본다. 이대로 땅바닥에 드러누워 하늘과 땅에 둘러싸인 채 흠뻑 젖고 싶다. 하늘에서 님이 내려와 땅으로 잇나니 그 사이에 자리 잡은 나의 존재란! 경탄을 금치 못할 장관을 이 어두운 밤 누구에게도 보여줄 수 없음이 애석할 따름이다.

방으로 들어와 젖은 가방을 내려놓은 채 창문을 열고 마지막 보루인 방충망까지 열어젖힌다. 밤하늘이 젖어있고 내 몸이 젖어 있는 지금 나를 담은 방이 젖지 않아서야 될 말인가. 마구 젖어라. 내 얼굴을 타고 흐르는 개별 존재의 자아는 너무나 뚜렷하여 하나로 합쳐짐에 두려움이 없다. 나와 하나가 되어 온 세상에 내려 흘러가자. 한 방울의 물이 내려 강이 되고 강이 흐르고 흘러 결국 바다에 닿고, 바다는 젖지 않는다 할 만큼 넉넉한 가슴을 품고 있다고 했던가. 하염없이 내리는 매일의 절망에 빽빽하게 심어놓은 가시를 오늘만큼은 꺾어버리고 하늘에서 내려 달려간 모든 이를 품는 바다의 넉넉함에 흠뻑 젖는 밤이 돼야겠다.

단수필_건널목 신호등

한 여름이 시작된 태양 아래의 건널목 신호등은 단 몇 초간의 기다림도 괴롭기만 하다. 살며시 불어와 얼굴을 스쳐 지나가는 바람의 손길이 전혀 반갑지 않게 느껴질 만큼 찐득한 열기를 홀로 서서 견뎌야 하는 장소이기 때문이다. 또한 그렇기 때문이다.

여름이 시작되는 매년 이맘때, 사거리 건널목에 몸을 펼치는 가림막 그림자에 몸을 숨기면 그제야 한숨 돌리는 한숨이 새어 나오고, 그러나 곧 끊이지 않는 지독한 열기에 끊어질 듯한 이성의 끈을 겨우 부여잡는 스스로가 측은하다. 그 지독한 열기 너머 차갑게 노려보는 빨간빛의 경고는 그것을 외면할 때 생길 수 있는 결과가 처참해 그럭저럭 납득이 되지만, 끈적한 습기에 둘러싸여서 있어야 하는 이 불쌍한 몸뚱어리는 인내하는 발버둥을 소심한 반항으로 나타낸다. 건널목에 서 신호를 기다리는 일은 여름에 한정하면 이리도 괴로운 일이다. 단 몇 분에 불과하더라도.

기다림이란, 인내란 이처럼 절망스러운 과정의 총체이다. 수없이 많은 기다림을 감내해 봤고 지긋지긋하다 단호히 혀를 내두를 만큼 인내해 봤다고 감히 단언할 수도 있다. 지난한 인내가 고달파 잠시 눈을 돌린 사이, 발끝 묵직하게 땅바닥만을 툭툭 걷어

차던 사이, 보행신호를 여러 번 놓쳐 보기도 했다.

해가 지고 나를 스쳐가는 바퀴 달린 쇳덩어리가 드물어질 때는 기다림에 지쳐 충동에서 뛰쳐나온 선택을 내리기도 한다. 선택의 끝은 늘 찝찝한 죄책감으로 회귀한다. 관계에서의 인내는 때로 굳건히 쌓아 올린 이성과 논리를 허무는 치명적인 독이 되기도 한다. 이처럼.

건너고 싶은 욕구를 억누르며 아무렇지 않은 척 서 있지만 심장을 때리는 이 조바심을 이겨내지 못하면 마주하고 싶지 않은 결과에 직면하게 될 때도 있다. 순간의 급한 마음을 견뎌야 한다. 앎이 깨달음으로 행동으로 이어지지 않음에 탄식하게 된, 깊은 좌절과 절망에 던져져 비탄과 애탄의 뜨거운 숨을 내쉬게 되는 순간의 늘 괴롭고 서글픈 마음은 감출 수 없다. 끝도 없이 흐트러지는 지금 순간의 내 손글씨처럼.

술에 취해 비틀거리는 몸뚱어리가 불현듯 멈춰 선 곳에서 고개를 드니 시뻘건 눈동자가 내 눈을 괴롭힌다. 몇 분 뒤면 산뜻한 초록으로 바뀔 것을 알지만 그 짧은 순간이 주는 압박에 숨이 막히는 기분이다. 되려, 멈춰야 할 때와 나아갈 때를 알려주는 신호등이 내 심장에도 있었으면 하는 소망이 씁쓸한 밤이다.

단수필_장애인, 비장애인

나는 알고 있다. 퇴근길 집으로 데려다줄 버스를 기다리던 정류장에서 갑작스레 들린 외마디 고함. 그대가 일부러 하지 않았음을 나는 알았다. 건장한 체구에 멀쩡한 얼굴. 땀에 전 셔츠와 알싸하게 풍기는 시큼한 땀 냄새. 소음 차단 기술이 켜져 있는 이어폰 속 덤덤하게 눈물 흘리는 음악을 뚫고 그대의 고함이 세 번째로 들렸을 때 나는 알았다. 그대가 일부러 그런 행동을 하는 것이 아니라는 것을 곧 깨달았다. 저마다 힘 빠진 어깨와 습기에 질린 표정과 끝없이 치솟아 있는 불쾌지수가 한껏 내리 누른 미간의 주름으로 기다리는 버스가 오기를 기다리는 이가 가득한 버스 정류장. 그대는 차마 그 안에 발 들이지 못하고 정류장 주변을 배회하며 계속해서 주기적으로 고함을 지르고 있었고 나는 미약하게나마 알게 되었다. 그대가 어떤 시선 속에서 살아왔을지를.

나는 알고 있다. 그대의 부모님이 그대를 낳고 세상 무엇보다 큰 행복을 느꼈으리라는 것을. 무엇과도 바꾸지 않을 그대는 금과 옥으로도 부족한 이 세상 최고의 선물로 그대의 부모님에게 찾아왔으리라는 것을 나는 알고 있다. 때문에 그대의 증상이 발현되기 시작했을 때 그대의 부모님이 느꼈을 죄책감과 미안함과 서러움이 얼마나 날카롭고 거칠어 얼마나 당신들을 괴롭혔을지 나는 차마 알지 못한다. 유일하게 잘 아는 것은 그대가 어떤 세상에 던져지고 어떤 시선에 홀대받고 상처받는지를 알아서 할 수만 있다면 마땅히 대신하겠다 두 발 벗고 나설 사람이 그대의 부모님이란 사실이다.

나는 알지 못한다. 그대가 어떤 심정으로 어떤 마음으로 잠자리에서 벗어나 다시 잠자리로 들어서는지 나는 알지 못한다. 혹독하고 무심한 냉대로 그대의 온몸에 그대의 심장에 깊게 파여 있을 상처가 얼마나 아플지 나는 알지 못한다. 그대도 조절할 수 없어 지속해서 튀어나오는 고함이 그대의 귀에 얼마나 지겹고 시끄러울지. 그럼에도 불구하고 건장한 체구와 무덤덤한 표정으로 휴대폰 게임을 하고 있는 그대의 모습에 조금은 안심이 된다.

나는 분명히 기억한다. 버스에 올라 시원한 에어컨 바람 밑에 앉아 한여름의 행복을 누리는 저들의 가식이 얼마나 얇았는지 듣던 음악을 잠시 멈추고 나는 분명히 목격했다. 그대가 계속해서 외치는 고함에 모든 사람이 그대를 돌아보기 시작했고 그대의 증상을 이해한 듯 조용히 다시 앞을 바라보며 가는 소수의 승객을 제외한 나머지가 보인 행동을 나는 기억한다. 혀를 차고, 인상을 찌푸리고, 들으라는 듯 옆자리 친구에게 혹은 전화기 너머 대화상대방에게 불평을 토해내고 조롱하고, 심지어 그만 좀 하라며 짜증을 내는 버스 기사의 모습까지. 나는 전부 기억하고 기필코 기억할 것이다.

고백한다. 세 번째 고함을 듣기 전까지 나 또한 그대를 욕하고 탓했다. 그대가 풍기는 땀 냄새에 인상을 찌푸렸고 부끄러운 모습 없이 계속해서 내는 고함에 정신 상태를 의심하기도 했다. 술 냄새가 조금이라도 났다면 알코올 중독자로 매도했을 것이다. 그대의 증상을 알아차린 이후에도 그대의 고함에 마음이 편하지만은 않았음을 또한 고백한다. 잠시 정지했던 음악을 다시 재생시켰기에 그대의 고함은 아스라이 멀게만 들렸음에도, 그대를 이해하고 배려하는 소수에 나 자신이 포함됐음에 그 외 그대를 적대하는 다수를 바라보며 도덕적 우월감을 두 어깨와 목에 두르고 우쭐했음을 처절하게 고백한다.

그대를 다시 마주칠지 나는 알지 못한다. 그저, 그대를 외면했던 사실에 아프게 찔린 그날부터 언제가 될지 모를 그날까지 끝없이 고백하며 살겠다.

단수필_버스 정류장

허리 굽은 할머니 흐린 눈으로 벽에 붙은 버스 노선도를 살펴본다. 핸드폰의 작은 세상에 자리를 빼긴 노선도는 멀어진 관심만큼 작아진 글씨체로 할머니를 마주한다. 낮은 문맹률에도 불구하고 80대 이상의 많은 고령자층에게 읽고 쓰는 문제는 여전히 큰 장벽으로 남아있다는데, 그 때문일까. 도통 보이지도 않고 알아먹지도 못하겠는 검은 글자가 답답해 할머니 얼굴의 주름살 굴곡은 더 진해지는 듯 보인다.

터치 몇 번이면 당장에라도 땅끝마을까지 갈 수 있는 젊은이들의 귀는 흰색, 검은색 작은 덩어리로 막혀있고 눈과 손은 핸드폰 위에서 가만히 바쁘다. 이쪽저쪽 두리번거리는 할머니 눈 속에 기대가 죽어 체념만이 남을 때쯤 몇 번씩 달싹거리던 입술 굳게 다물고 휘적휘적 어디론가 멀어진다. 조금씩 작아지는 뒷모습이 결국 사라질 때까지 하염없이 할머니가 걸어간 길을 정류장에 서서 바라본다.

"아저씨, OO동 가요?"

"몰라요."

잠들지 않는 밤의 한가운데 아우성치는 정류장을 지나면 내가 탄 퇴근 버스는 곧 거짓말처럼 적막에 휩싸인 거리 어귀에 잠시 선다. 문이 열리면, 상체보다 큰 짐을 이고 서 있던 왜소한 할아버지의 탁하고 작은 질문은 마스크 뒤에 숨은 시큰둥한 감정과 통명함이 날카로운 답변에 떠밀려 깊은 골목길로 사라진다. 문이 닫히고 가차 없이 떠나는 버스의 사이드미러에 비친 남겨진 자의 어깨는 유달리 무겁다. 멀어지는 정류장의 윤곽은 할아버지의 한숨만큼 희미해져간다.

퇴근길 버스에서 천천히 내려 멀어져 가는 버스를 배웅한다. 단 한 번의 뒤돌아 보는 것 없이 떠나가는 모습이 다소 야속하게 느껴진다. 작별 인사 없이 헤어진 동승객들의 얼굴이 밤바람 따라 가볍게 일렁이며 뒤를 이어 떠내려간다. 길 맞은편 멀지 않은 곳으로 눈을 돌리면 십수 년 세월의 더께가 잔뜩 앉은 아파트 단지가 보이고 그 아래 드리운 밤 그림자에는 불 밝힌 정류장이 서 있다. 마지막 버스까지 떠나고 나면 완벽하게 침묵하는 어둠 속으로 침전하는 정류장의 불은 여전히 밝다. 가로등이 없더라도 반경 몇 미터 이내는 사물을 분간하는 데 큰 어려움이 없다.

건널목 정지선에 두 발 붙이면 정류장 이웃들의 바쁜 발걸음으로 북적이는 아침의 그것과는 사뭇 다른 얼굴이 빛 아래 보인다. 어둠을 밝히는 그 광경을 조용한 목격자가 되어 두 눈에 담는다. 언젠가 깊은 밤이 씻겨 내려가면 잠든 시간을 깨우는 알림 음성이 공기를 떨어댈 것이다. 시끄럽기만 한 잦은 반복된 소리가 더 멀리 울려 퍼지는 밤의 시간은 되레 고즈넉한 산사를 연상케 한다. 찾는 이 부쩍 줄어든 밤이 외로워 흥얼거리는 것일까. 애끓은 신음일까. 소박한 정류장의 초대에 기꺼이 응해 자리를 찾아 앉는다.

점점 더 깊어져 가는 눈앞의 시간을 바라보다 문득 벤치 위를 손으로 훔쳐본다. 양 손바닥에 묻은 갖가지 색의 얼룩에는 저마다의 이야기가 담겨있다. 정류장을 오고 갔을 이의 이야기를 무대 위에 올려 하나씩 헤아려본다. 짧은 희로애락의 순간이 모두 담겨 있는 듯하다.

연극이 막을 내린 후 손바닥을 마주 비벼 털어내고 나니 다 털어지지 않은 자국이 몇 군데 보인다. 가는 길을 몰라 떠나지 못하고 한참을 주저앉아 있었을 이의 한탄과 설움이 희미하게 남아있다. 내일의 해가 뜨면 다시 반복될 이 애달픈 이야기에 부끄러워 재빨리 자리에서 일어나 집으로 향한다. 허리 굽은 이와 왜소한 이에게 내미는 손 하나 없더라도, 적어도 정류장에 앉아 지친 몸 쉬어갈 수 있기를. 단 한 번이라도 그들에게 베풂이 찾아오기를.

단수필_장독 김치

“어무이 어렸을 때는 땅속에 묻은 장독에 김장김치 담아두고 겨울에 꺼내 드시지 않았는가?”

"그랬지. 옛날엔 먹을 게 없으니 김장김치를 백 포기는 넘게 담가서 겨우내 먹었어. 그냥도 먹고 찌개로 끓여서 먹고. 또 겨울이라고 다 똑같이 추운 게 아니잖니. 어떤 겨울은 너무 안 추워서 땅속에 묻어놔도 금방 쉬고 그랬어."

"겨울에 그 많은 김치가 다 쉬어버리면 우짠다요?"

"뭘 어쩌니 그냥 먹어야지. 그때 김치냉장고가 있었겠어 뭐가 있었겠어. 네 할머니가 그 고생고생하며 담그셨는데 불만 갖지 말고 먹어야지."

"할머니 혼자서 백몇십 포기를 다 담그셨소?"

"엄마랑 이모들이랑 돕기도 했고, 동네 아줌마들도 손 보태고 했지. 지금이랑은 달라서 그때는 서로 많이 돕고 그랬어."

"엄니도 옛날에 김치 많이 담가서 아파트 아주머니들하고 어무이 친구분들이 같이 돕고 그랬지 않았었나? 기억에 있는데 같이 일하던 모습이."

"그때는 나도 수십 포기를 담갔으니 그랬지. 지금은 끽해야 열몇 포기 담그는데 도와달라고 하는 것도 이상해."

"하긴. 서로 도와주고 김치도 노나 묵고 그랬어. 김치가 많은 걸 아니까 더 많이 먹었던 것 같으요. 매 끼니마다 먹기도 엄청 먹었네."

"너 어릴 땐 김치 도둑이었어. 무슨 김치를 그렇게 많이 먹는지."

"맛있는 걸 우짜요 그럼. 그러고 보니 요새는 누가 김치 줬다고 꺼내서 맛본 기억이 없는 것 같은디. 우리 김치만 계속 먹는 거 같은데."

"이젠 김장도 잘 안 하더라. 사 먹거나 안 먹거나."

"생각해 보면 손이 너무 많이 가는 거 아니오? 배추가 백 포기가 넘으면 거기에 들어가는 채소 뭐가 있나. 무에 파에 전부 씻어서 손질해서 일일이 다 썰지. 양파도 강판에 갈아 마늘도 다 까서 갈아. 워메 이 복잡한 게 뭐가 좋다고 겨울마다 한거유. 풀도 쒀야지 배추도 다 손질해서 절궈야지. 절군 배추 옮기는 건 또 좀 무거워? 심지어 고춧가루도 아무거나 안 쓰시더만."

"그렇게 정성을 들이니까 맛있는 거야. 너 먹는 거만 봐도 내가 다 입맛이 돌더라."

"갓 담근 김치에 흰 쌀밥에 수육까지 먹으면 아따 그것만큼 맛있는 게 또 없긴 한데. 안 힘드요? 김장 언제까지 하려고?"

"때 되면 관두지 않겠니. 힘들어도 맛있게 먹어주는 사람이 있으면 그거 보고 다시 힘이 나."

"그러면 말이요, 엄니 어렸을 때 그때 그 한겨울에 장독에서 꺼낸 김치가 더 맛있었소 아니면 지금 저기 김치냉장고에 들어있는 김치가 더 맛있는 거 같으오?”

“한겨울에 먹는 건 그때 김치가 더 맛있지. 날씨랑 잘 맞아서 기가 막히게 익으면 엄청 맛있어. 김치냉장고 김치도 맛있긴 해. 일정하게 맛이 유지가 되니까 언제 먹어도 맛있게 먹을 수 있잖아. 땅 파서 장독 묻고 김치 넣고 빼는 것도 일이야 일.”

“한 번씩 그 김치 맛을 상상해 보면 어땠을까 너무 궁금한데 도통 알 수가 없으니 가끔은 정말 아쉽다니까. 지금은 그런 식으로 담근 김치는 못 먹지 않나?”

“어디 종갓집이나 가야 있겠지. 난 그래도 김치냉장고 있어서 편하고 좋다 얘.”

“난 장독 김치 먹어보고 싶단 말이요.”

“난 못한다.”

“난 어무이가 맨날 절군 배추를 큰 대야에 담아서 화장실 욕조에 두는 게 싫었는데. 먹을 거를 왜 화장실에 두냐고. 그런데도 또 담가두면 잘만 먹었네.”

초단편소설_잠

숫자판의 3에서 3mm 정도 아래로 내려간 짧은 바늘이 가리키는 어두운 밤 즈음이었다. 시간의 파도가 할퀴고 간 자국이 선명한 컴퓨터 모니터는 쉴 새 없이 번쩍이는 빛을 토해내고 있었다. 조용한 밤이었다. 침묵을 고수하는 스피커는 침묵을 강요한 인간의 두 다리를 머리에 이고 있었다. 미동 없이 겹쳐 있던 다리가 움직인 것은 경욱이 의자 깊숙이 박아놨던 엉덩이에서 올라오는 찌릿한 통증이 생긴 지 족히 세 시간은 족히 지났을 때였다. 한계 이상 젖혀진 의자에서 삐걱거리는 소리 요란하게 기지개를 켠 경욱은 책장 넘기는 소리에 윤경을 바라보았다.

“잠들었었나. 소리는 언제 끈 거야.”

“시끄러워서 껐어. 둘리가 요새 잠을 잘 못 자는데 깰까 봐 걱정도 되고.”

침대에 엎드려 책을 보던 윤경은 툭 대답을 뱉었다. 아직 절반쯤 감긴 눈과 그만큼 흐릿한 얼굴로 경욱은 윤경의 대답을 천천히 곱씹기 시작했다.

집에 돌아온 게 언제였을까. 집에 돌아온 경욱과 윤경을 반기는 건 불 꺼진 집과 은은하게 켜진 현관등과 그 아래 천천히 꼬리를 흔드는 반려견 둘리였다. 둘리가 보인 반가움 만큼 진한 침묵을 뒤로하고 둘은 말없이 각자의 공간으로 향했다. 경욱의 자리는 컴퓨터가 놓인 책상이었다. 컴퓨터를 작동시키며 경욱은 힐끗 윤경에게 눈길을 던졌다. 집에 들어오는 길 내내 경욱을 쳐다보지 않던 윤경이었다. 경욱의 시선에도 아랑곳하지 않고 윤경은 감색 바람막이를 벗어 벽에 걸어둔 뒤 침대 머리 쪽에 조심히 앉았다. 침대 옆 택배 상자에는 파란색 표지의 책이 차곡히 쌓여 있었다. 옅게 먼지가 내려앉은 가장 위쪽의 책을 들어내고 그 아래의 책 한 권을 들어 침대에 던진 윤경은 그 옆에 엎드렸다. 며칠 전 인쇄소에서 보낸 경욱의 세 번째 책이었다. 계속해서 윤경을 바라보던 경욱은 마침내 윤경이 첫 장을 폈을 때가 자정이 되기 직전이었던 것을 겨우 기억해 냈다.

"깨우지 그랬어. 잠든 지도 몰랐어."
"자는지 몰랐어. 조용히 있길래 말 안 걸었는데 잠든 거구나."
"소리를 꺼도 가만히 있는 게 이상하지 않았어?"
"책 보느라 제대로 안 봤어."
"…관심부족이야."

윤경은 여전히 책에 시선을 고정하고 있었고, 색 바랜 서운함의 꼬리를 잘라낸 경욱은 물병을 들어 한 모금 더 삼켰다. 고개를 젖히며 윤경으로 슬쩍 향한 경욱의 눈에 절반 이상 넘어간 페이지가 보였다. 무슨 일이 있어도 한 번 펼친 책은 끝까지 읽는 윤경의 평소 습관을 생각하면 분명 책에 집중했겠지만 미처 다 넘기지 못하고 가슴으로 흘러내린 차가운 감정은 무겁기만 했다. 방 안의 공기는 바닥을 향해 가라앉고 있었고, 마지막 남은 물을 비운 경욱은 천천히 입을 뗐다.

"…안 졸려? 그만 보고 같이 잘래?"
"…너 세 시간 넘게 잔 거야. 잠 다 깼을 텐데."

"재워줄게. 너 내가 재워주는 거 좋아하잖아."

"…같이 잠드는 게 좋은 거야. 그 순간을 인지할 수는 없지만 같은 시간의 흐름에 몸을 맡겼다는 걸 같이 잠에서 깬 후에는 알 수 있어서 좋은 거라고. 내 시간은 멈추는데 네 시간은 계속 흘러간다는 사실은 알고 싶지도 않고 느끼고 싶지도 않아."

"둘 다 집에 있는데 너 자는 사이에 무슨 일이라도 있겠어. 너 자는 모습 보는 것도 좋아. 같이 있는 것 같으면서도 혼자 있는 느낌이 좋거든."

"…맞아. 넌 혼자 있는 것도 즐기지. 옆에 있는 사람도 혼자로 만들면서 말이야. 참 좋겠네."

혼자 있는 날이 불유쾌한 윤경은 또한 혼자 있는 밤에 유독 잠들기 힘들어했다. 홀로 남겨지는 밤을 특히 힘들어했다. 스스로의 선택으로 밤을 새우기 일쑤인 경욱에게 불가피한 윤경의 불면은 그래서 특별히 문제라고 느껴지지 않았다. 그저 윤경에게 불면의 날이 찾아올 때면 외면하지 않을 뿐이었다. 깊은 새벽에 윤경의 메시지가 점차 단답형으로 바뀌기 시작하면 전화를 연결해 조용한 목소리로 책을 읽어주곤 했고, 때로 말을 멈춘 채 서로의 작은 숨소리에 귀를 기울이곤 했다. 통화가 연결된 채로 잠이 들 때는 먼저 눈을 뜨는 쪽이 바로 상대방을 깨우는 것이 일상이었다.

꾸준히 유지되던 밤의 일상이 조금씩 틀어지기 시작한 몇 개월 전 그날의 기억을 머릿속에 띄우며 경욱은 애써 입술을 움직여 완만한 곡선을 그려내고 말을 이었다.

"알겠어. 양치질만 하고 올 테니까 같이 자자."

경욱이 잠에서 깬 뒤로 책에서 눈을 떼지 않던 윤경은 비로소 천천히 몸을 일으켜 벽에 등을 붙였다. 두 무릎을 끌어안고 그 위에 턱을 올려둔 윤경의 눈은 고요한 빛을 발하며 경욱에게 고정되었다.

“가면서 둘리 밥이랑 물 있나 봐줘. 잠을 잘 못 자고 새벽에 자주 깨더라.”

“알겠어. 금방 하고 올게.”

경욱은 화장실로 가려는 발걸음을 돌려 불 꺼진 거실로 먼저 향했다. 윤경과의 짧은 대화로 이미 잠이 다 깨버린 것을 느껴 양치질은 조금 뒤에 해도 되겠다는 생각이 뒤를 이었다.

한쪽 벽 아래 네 다리를 뻗고 옆으로 누운 둘리가 있었다. 거실의 어둠에 묻혀 탁해진 흰색이 유독 경욱의 눈에 밟혔다. 뽀얗게 탐스러웠던 털은 힘없이 늘어져 있었다. 잠든 둘리 앞에 쪼그리고 앉은 경욱은 천천히 둘리의 머리와 몸을 쓰다듬었다. 건강하고 탄력 있는 몸을 기억하는 손에 만져지는 것은 거친 피부와 도드라진 갈비뼈였다. 손만 대도 깨던 아이가 아무런 반응이 없었다. 경욱은 급하게 둘리를 눈앞에 들고 흔들어 보았다. 흔드는 대로 흔들리는 얼굴 가운데 반짝이던 검은 눈동자는 경욱을 바라보지 않았다. 당황한 경욱은 급하게 방 쪽으로 고개를 돌렸다. 어느새 어두워진 방에서 윤경의 검고 고요한 눈동자만이 경욱을 바라보고 있었다.

초단편소설_잃어버린 사진

“불유쾌한 날씨야.”

거칠게 접은 재킷을 한 손에 든 선진의 머릿속을 지배하는 단 하나의 문장은, 검은 타르로 반죽이 된 도로를 점령한 무채색 아지랑이에 충분히 괴롭힘 당한 목울대의 끝에서 울렁거리고 있었다.

잔인한 주먹을 휘두르던 하늘과 구름의 심술이 가득했던 7월이 끝나고 마주한 8월의 한낮이었다. 선진은 찐득하게 파란 하늘의 끝이 힘들게 보이던 언덕을 걸어 오르고 있었다. 그의 넓은 어깨를 짓누르는 듯한 시멘트 건물이 양옆으로 늘어서 있는 도로였다. 한쪽은 흐린 갈색 벽돌 난쟁이가 무거운 몸을 안고 주저앉아 있었고, 건너편으로 눈을 돌리면 잿빛 옷을 입은 난쟁이가 서로 어깨동무하고 있는 모습이 삭막하게 정겨운 동네를 선진의 발걸음이 관통하고 있었다.

“유쾌하지 않은 이 느낌을 받아야 한다는게 너무나 불쾌한데.”

뱃속부터 절절하게 달궈져 기어이 목구멍을 타 넘은 가시는 잔뜩 성나 뾰족해진 손가락으로 무참히 허공을 찌르고 있었다. 2미터가 넘는 키, 계절과 전혀 맞지 않는 검정 일색의 정장 바지와 셔츠, 정장 구두와 손에 든 구겨진 검정 정장 재킷까지. 검정 세상의 혹독함은 살구색 세상에서 끊임없이 흘러내리는 땀방울에서 여실히 느껴졌다.

“쯧, 보는 내가 다 쪄 죽겠구만. 장례식에라도 가는건지 원.”

차광막 길게 빼 애써 만들어 낸 그늘에 앉아 별 소용없는 부채질의 헛된 노력에 신경질이 난 슈퍼마켓 주인은 선진의 모습에 눈살을 찌푸리고 있었다. 슈퍼마켓 주인의 눈총을 독차지하는 어리석은 검정 일색의 가장 위에 자리한 선진의 유달리 하얀 얼굴은 땀방울이 무색하게 점점 더 하얗세 탈색되는 것만 같았다.

'선크림 사야 하는데. 지난번에 산 제품은 너무 끈적거렸어.'

잠시 걸음을 멈춘 선진은 느닷없는 생각에 실소를 터트렸다. 뜨거운 한낮의 열기에 매섭게 날을 세운 슈퍼마켓 주인의 얼굴에 패인 주름이 눈에 들어온 까닭이었다. 자신의 복장에 혀를 차느라 더 깊어진 주름인지는 전혀 알아차리지 못했다. 주인의 시선을 뒤로 하고 재킷을 들어 안주머니에 손을 넣은 선진은 사각거리는 작은 질감을 손끝에 느끼며 꺼내기를 망설였다.

'오늘은 찾을 수 있을까.'

매일 밤 방바닥에 깔아둔 얇은 이불에 눕기 전 들이키는 맥주의 첫 모금과 마지막 모금이 식도 너머로 사라질 때 삼키는 말이 오늘따라 해가 쨍쨍한 낮에 거꾸로 튀어올랐다. 멈춘 걸음 위로 망설이던 선진은 여전히 거친 부채질을 하고 있는 슈퍼마켓 사장 쪽으로 몸을 틀어 다가갔다.

“안녕하세요 사장님. 말씀 좀 여쭐게요.”

“어이고, 가까이 오니 더 쪄 죽을 것 같네. 뭘 도와드릴까?”

“어쩌다 보니 집에 옷이 이것 밖에 안 남았더라구요.”

“아무리 그래도 그렇지. 멀쩡하게 생긴 양반이 옷이 없어 그래. 키는 큰게 훤칠허니 보기 좋구만. 뭘 도와드릴까 그나저나?”

“이 사진 보시면 배경이 이 동네 같은데. 알아보시겠어요?”

선진의 손을 따라 재킷 안주머니에서 모습을 드러낸 것은 손바닥만한 사진이었다. 셋으로 나뉜 면의 왼쪽을 가득 채운 것은 흐린 하늘을 베어낸 듯 전봇대와 전봇대 사이에 매달려 있는 각종 검정 전선이었다. 바로 밑으로는 선진을 반긴 갈색과 회색 건물이 똑같이 주저앉아 있었다. 선진이 걸어 올라온 언덕의 초입에서 올려다보면 열에 아홉은 이 동네가 맞다고 입을 모을 만큼 모든 것이 닮아 있는 모습이었지만 정작 슈퍼마켓 주인의 눈이 향한 곳은 조금 전까지 사진을 잡고 있던 선진의 검지 밑 부분이었다. 사진의 기본을 잊은 순간에 찍은 듯 흐려진 초점으로 얼굴이 가려진 피사체였다.

“자네가 찍은 사진이야? 뭘 했길래 이짝 얼굴은 이렇게 흔들렸나.”

“이쪽 방향으로 바라보고 찍은 사진 맞죠?”

“아, 딱 보면 모르나. 물어볼 걸 물어야지. 그래서 이건 누구요? 이 사람을 찾는건가?”

하얗게 흔들린 얼굴에서 유일하게 말할 수 있는 것은 스쳐 지나간 바람을 쫓는 검은 머리카락과 얼굴 태반을 차지한 검은 선글라스의 둥근 모습이었다.

“찾기를 바라지 않지만, 그래서 찾을 생각을 하지 않으면 영원히 찾을 수 없지만, 찾는다고 찾을 수 있다는 확신의 약속은 어디서도 구할 수 없어서, 지금도 찾을지 말지 망설여지네요.”

“뭔 놈의 말을 그렇게 어렵게 하나. 찾고 싶으면 찾으러 가는 거고 아니면 마는거지. 말 어렵게 하는 사람치고 행동 제대로 하는 사람 없다니까.”

영화 「강변의 무코리타」 평론_흰쌀밥

미국 유학 생활에 마침표가 찍혀 책장 깊숙한 곳으로 들어갔음에도 계속 입안에 굴려 녹여먹는 사탕으로 다시 탄생하는 이유는 생각보다 대단하지 않다. 이유가 하나가 아닌 점에서 그렇지만 그중 가장 큰 몸짓을 자랑하는 것의 이름표에는 '밥'이라고 쓰여있기 때문이다. 다른 것도 아닌 밥이라니. 누군가는 헛웃음을 지을지 모를 만큼 가벼운 대상인 밥이 누군가에게는 정말 무겁게 자국을 낼 수 있는 법이다.

돌이켜보면 철없는 이십 대 중반 청년의 자조 섞인 자격지심이었을지도 모른다. 매달 다른 유학생에 비해 상당히 적은 생활비를 받아 일상생활을 유지하고 있었지만 그조차도 부모님께 부담이 된다고 느꼈던 것 같다. 혹시라도 돈 관리에 소홀해 생활비가 조기에 떨어지면 당장 식비가 없음에도 절대 부모님께 말씀드리지 않았으니 말이다. 대신 나름대로 친분을 유지하던 한국인 유학생 동생들에게 음식 재료를 꾸곤 했다. 달걀 몇 개, 쌀 한 봉지,

소시지 몇 봉. 달걀을 가장 자주 꾸었다. 달걀만 있으면 어떻게든 한 끼는 때울 수 있기 때문이다. 이렇게 버티다 새로운 달이 돌아와 생활비가 송금되면 빌린 재료의 몸집을 키워 한 턱으로 그들에게 돌려줬다. 문제는 이 때문에 다시 월 중반이 지나면 생활비가 다 떨어지고 다시 음식 재료를 꾸러 돌아다니는 악순환이 반복됐다. 해소되지 않는 빚과 보은의 연쇄작용은 우라늄 원자의 핵분열과도 같았고 희미해진 기억을 더듬어보니 못해도 반년은 지속됐다 기록되어 있다.

영화 「강변의 무코리타」 속 무코리타 연립주택에 사는 시마다 코조처럼 “나는 빈털터리입니다!”라고 외칠 수 있었다면, 식기구만 챙겨 주인공 야마다 타케시의 집에 쳐들어가 밥을 얻어먹을 용기가 있었다면 그 반년의 모습은 달랐을까. 일 년 이상 집세가 밀렸음에도 비싼 묘석을 판 돈으로 소고기 전골부터 사 먹는 묘석 방문 판매상 미조구치 켄이치의 집으로 쫓아가 달걀부터 깨고 보는 야마다와 시마다처럼 지낼 수 있었을까. 매달 문을 두들겨 멋쩍은 웃음으로 달걀을 꾸러 온 나이 많은 형에게 쌀쌀맞게 굴지 않고 음식을 베풀었던 그 동생들은 야마다였고 미조구치였고 직접 키운 채소를 야마다에게 가져다준 시마다였다는 것을 영화 「강변의 무코리타」를 보며 새롭게 깨달았다.

작은 어촌 마을 생선 가공 공장에 취업한 야마다 타케시는 영화 초반부 말을 전혀 하지 않는다. 공장 사장과의 대화에서 뱉은 짧은 대답을 제외하면 직장 동료와도, 새로 입주한 연립주택의 이웃과도 말을 나누지 않는다. 어두운 표정과 다소 움츠린 듯한 어깨가 이 인물에 대한 궁금증을 채워줄 뿐이다. 흑백에 가까운 야마다에게서 색을 가진 생기가 피어나는 순간은 첫 월급으로 사 온

흰 쌀로 갓 지은 밥을 한 입 먹는 그 순간이다. 회사에서 받은 젓갈에 장국 하나만이 전부인 식사이지만 윤기가 흐르고 따뜻한 김이 올라오는 흰쌀밥에 야마다는 비로소 살아 숨 쉬고, 흰쌀밥을 먹는 행위가 바로 세상과의 대화라고 할 수 있다.

욕실 대여라는 괴상한 요청으로 등장한 옆집 이웃 시마다 코조와 가까운 관계를 맺어가게 되는 것 또한 식사 시간에서 이루어진다. 시마다가 본인이 재배한 채소를 일부 가져다 줌으로써 등가교환의 공식을 일부 실현하긴 하지만 거의 항상 일방적으로 야마다의 밥과 반찬을 얻어먹는다. 정작 주인인 야마다보다 훨씬 더 많이. 투덜거리는 말과 다르게 야마다는 시마다의 방문을 강하게 거절하지 않는다. 밥을 같이 먹는 행위는 야마다와 시마다에게 각자 잃어버린 것의 빈자리와 남겨진 자의 아픔을 달래는 의식이기 때문일 테다. 추후 본인이 가진 상실 때문에 야마다의 과거에 거부감을 느낀 시마다가 식사 때가 되어도 찾아오지 않자 시마다를 찾아 나서는 야마다의 모습은 그래서 애처로우며 안쓰럽고 동시에 회복의 과정에 접어든 야마다를 볼 수 있어 안도감이 들기도 한다.

영화 「강변의 무코리타」의 다양한 신scene에서 가장 큰 비중을 차지하는 것은 단연코 식사 장면일 것이다. 그리고 가장 많은 대사가 오고 가는 장면 또한 식사 시간에 집중된다. 야마다와 시마다의 식사 시간은 몇 번에 걸쳐 그려지며 짧은 시간 동안 둘은 서로에 대해 더 다가가게 된다. 집주인 미나미 시오리와 그녀의 딸, 야마다, 시마다까지 한자리에 모이게 한 미조구치 집에서의 소고기 전골 식사는 처음으로 제대로 된 음식이 상에 올라온 식사 장면의 백미가 되겠다. 허락도 없이 주인보다 먼저 음식을 집어먹고 또 다른 사람의 숟가락도 올려놓으려는 행동에 난처한 표정과는 다르게 불청객 군식구를 거절하지 못하는 미조구치에게서 아내의 부재가 만들어낸 색 바랜 외로움이 소고기 전골의 향기처럼 풍겨 나온다. 비싼 묘석을 팔았으니 충분히 번듯한 '식당'에서 밥을 먹었어도 됐을 미조구치가 굳이 집에서 진한 냄새를 풍겨가며 밥을 준비한 이유처럼 말이다.

다 같이 모여 식사를 하는 장면은 또한 영화 「심야식당」을 떠올리게 한다. 늦은 밤 영업을 시작하는 식당을 찾을 때는 마음 한구석에 박힌 유리조각이 서글플 때이고 '마스타'라 불리는 식당 주인이 건네는 따뜻한 위로가 필요할 때이기도 하다. 이처럼 영화 「강변의 무코리타」 속 무코리타 연립 주택은 집주인인 미나미와 입주자 야마다, 시마다 그리고 미조구치에게 '심야식당'이고 이들은 서로가 서로에게 '마스타'일 것이다.

낡은 연립 주택에서 저마다의 상실을 품고 살아가는 인물이 이렇듯 밥을 같이 먹는 행위를 통해 가슴에 쌓인 짐을 조금씩 덜어주는 모습은 낯설면서 낯설지 않다. 초등학교부터 고등학교까지 점심 식사는 항상 같은 공간에서 같은 친구들과 먹었고 대학교 시절 형, 누나 선배들은 후배가 혼자 밥 먹는 것을 절대 용납하지 않았다. 밥을 먹지 않더라도 식당 테이블 건너편에 앉아 자리를 채워주던 몇몇 선배의 얼굴이 떠오른다. 심지어 군대에서조차 삼시 세끼 전부를 선후임과 먹었(어야 했)던 기억이 생생하다. 과거를 회구하며 떠오르는 익숙함과 아련함의 감정이 낯설게 느껴지는 시대에 살고 있음은 원치 않아도 상기되는 부분이기도 하다. 식사를 함께 하던 일행은 온데간데없고 혼자 먹는 밥이 문화의 유행이 되어 소비되는 세상인 동시에 핸드폰 화면 너머에서 같이 밥 먹고 있음을 느끼게 해주는 대상을 찾는 시대가 됐기 때문이다.

생면부지의 사람들이 서로 다른 상실을 품은 채 갓 지은 흰쌀밥의 연한 찰기로 연대를 맺는 것은 전문의의 진료나 전문가의 상담이나 처방받은 약보다 덜 명확하고 덜 확실하며 따라서 부족한 효과를 가질 수도 있다. 하지만 이들에게 필요한 것이 그리 거창한 것일까. 서로 마주 앉아 밥 한 숟갈 같이 뜰 이조차 없는 사람에게 우선 필요한 것은 바로 마주할 그 사람일 테다. 학교가 끝나고 회사에서 퇴근하고 집으로 돌아와 같이 저녁밥을 나눴던, 나누고 있을, 나누게 될 가족의 누군가 혹은 어딘가에 있을 누군가처럼. 노을이 지기 시작해 어두워질 때까지 무코리타牟呼栗多의 시간 속에서.

이설미

나의 시선 그리고 너의 시선

· 1 ·
나의 시선 : 길

나를 발견하러 가는 미지의 여행길

9월 가을이 성큼 다가온 순간, 토요일마다 나를 찾는 여행길을 나선다.
누군가의 엄마이자, 아내이자, 딸이라는 어깨의 묵직한 것을 내려놓고 온전히 '이. 설. 미' 나로 돌아가는 시간.

홀로 걷는 이 길에 낯섦과 설렘의 발자국을 내며 한 발, 한 발, 내디뎌 본다.
어른거리는 아쉬움 가득한 아이의 눈망울도, 미안함을 덜어주려는 듯 잘 갔다 오라는 남편의 목소리도, 내디뎌 가는 한 발, 한 발 속에 잠시 내려놓으며 발걸음이 가벼워진다.

잠시 주변을 둘러본다. 오랜만에 느껴지는 일상의 자유로움을 온몸으로 받아들이며, 따사로운 햇살마저 포근하게 느껴지는 그런 날이다.

목적지에 거의 다다랐을 때쯤, 나를 부르는 것 같은 카페 한 곳을 발견한다.

"How to spend your own time."

마치 나를 초대하는 것 같은 글귀에 이끌려 발걸음이 멈춘다.

향긋한 과일 향을 품은 아이스 라떼 한 잔을 들고, 기분 좋게 다시 향하는 길 속에서 생각한다. 나의 이름 뒤에 무엇이 하나, 하나, 더 붙을수록 온전한 나로 돌아가는 것이 어색하고, 미안한 마음이 드는 것은 언제부터인가 어쩔 수 없는 숙명처럼 느껴진다.

하지만 그럼에도 나는 나아간다. 그 미지의 길을, 여행하듯, 그곳으로 향한다. 혹시나 있을지 모를 새로운 꿈을 발견하기 위해 고유로 가는 길.

고유한 이야기들을 모아 책으로 만드는 그곳에서 어쩌면 나의 고유한 이야기가 누군가에게는 특별해질지도 모르니.

글을 들어가며 작가의 말,

에세이를 쓴다는 것은 나에게 특별한 의미를 준다.

내 삶에 이미 소장된 2권의 자서전 에세이. 마흔도 안된 나이에 유명인도 아닌 내가 무슨 자서전이냐 할지 모르지만 33살, 삶이 송두리째 변하는 순간 기록을 통해 나 자신을 더 깊게 들여다볼 수 있었다. 모든 것이 낯설고 도전이었던 첫 사업, 와플 디저트 카페. 정성 들여 반죽을 만들고, 200도가 넘은 와플기 앞에서 땀방울이 송송 맺힌 채로 와플을 굽고, 새하얗고 부드러운 생크림을 만들어 7분 동안 구워진 노릇노릇한 와플 위에 색색 가지 달콤한 과일들과 함께 10분 안에 예쁘게 플레이팅 하는 일련의 과정이 나에겐 모두 숙련되지 않은 그야말로 초짜의 새로운 도전이었다. 그 시절, 내가 바라본 나의 삶은 '달거나, 쓰거나' 나아가는 것이었다.

그렇게 첫 사업의 도전과 함께 새롭게 나 자신을 들여다보며, 글로 녹아낸 이야기가 첫 자서전 에세이, '달거나, 쓰거나'다.

35살, 한창 카페 운영이 성장세를 이어가던 그때, 나는 서른과 마흔 사이에서 다시 한번 삶을 돌아보며 사업에서도 삶에서도 무엇이 나에게 가치 있는 것인가에 대한 고민과 나만의 고유함을 발견하려고 무던히도 애썼다. 그날의 고민과 일에 대한 애착을 담아 '특별하거나, 더 특별하거나'라는 에세이로 기록하기도 했다.

시간이 흘러 2023년 가을, 39살 다시 직장인으로 돌아온 나는 여전히 무엇인가에 목말라 있다. 아내이자, 엄마이고, 어딘가에 소속된 직장인이지만 나에게 주어진 흩어진 시간을 모아 나아가기 위해 다시 한번 미뤄왔던 나만의 글을 쓰기로 한다.

산책길

새벽 4시. 고요함과 적막함이 느껴지는 공원. 그 고요함 속을 거닐 때면 온전히 나에게 집중하게 된다. 그러고는 모든 유혹을 이겨내고 걷고 있는 그 순간의 나에게 고마움을 표한다.

알람을 끄지 않고 일어났다는 고마움.
운동복을 갈아입고 현관을 나섰다는 기특함.
온전히 나를 위한 선물 같은 시간을 주었다는 감사함까지.

뿌듯한 마음을 안고 새벽녘 고요한 공원을 향해 가는 십여 분의 길은 발걸음마다 긍정의 기운으로 가득하다.

한 해 한 해 시간이 흐를수록 무엇인가를 하기 위한 내 안의 힘이 예전과 비교할 수 없이 작아졌음을 깨닫는다. 그 가운데 맞이하는 새벽녘 공원의 공기는 나를 응원하듯 코끝을 스친다. 잔잔한 호수의 물결에 비쳐 붉은빛으로 서서히 차오르는 해를 볼 때면 찾아볼 수 없이 작아져 버린 내 안의 힘이 다시금 새로운 기운을 얻는 느낌이다.

정확히 언제였는지 기억할 수 없지만 아이를 낳고 모든 것이 서툴렀던 그때, 회복되지 않은 몸으로 매일 홀로 아이를 돌보며, 늘 부족한 잠으로 극도의 예민함이 온몸을 뒤덮었을 즈음, 집을 박차고 나와 비 오는 날 거닐던 그 공원이 생각난다. 빗물과 눈물이 뒤섞여 흐르며, 마음속 응어리와 스트레스를 서서히 사라지게 한 그날의 산책길 속에서 왠지 모르게 느꼈던 위로와 편안함을 잊지 못한다. 내가 좋아하던 실내 운동 대신 공원 산책을 즐기게 된 것도 그 때문인지 모르겠다.

잔잔한 호수를 바라보고 있노라면, 내 마음에 흩어져 있는 복잡한 생각들이 서서히 호수의 잔잔한 물결 속에 가라앉는 느낌이 든다. 무작정 그렇게 푸르스름한 호수를 따라 한 바퀴, 두 바퀴 걷다 보면 조용한 가운데 울리는 새소리와 초록 나뭇잎 사이로 잡생각들은 사라지고 발개진 볼에서 느껴지듯 온몸에 따뜻한 온기와 에너지가 퍼진다.

잠시나마 걷게 되는 산책길 속에서 안식을 통해 무엇인가를 해낼 수 있는 내 안의 힘이 조금이나마 깨어나기를 간절히 바란다.

새벽 산책길 속 작은 소망을 틔우며, 오늘 하루도 활기차게 발걸음을 내디뎌 본다.

출근길

경기도 화성시 비봉면 현대기아로. 내비게이션으로 40분.

월화수목금 매일 아침 향하는 목적지는 나의 직장. 여유 있는 날이면 드라이브하듯, 시간에 쫓기는 날이면 꽉 막힌 고속도로에서 1분 1초에 촉각을 세우는 그런 길. 여느 때와 다름없이 다니는 그 길에서 문득 든 생각.

고속도로를 빠져나오면 마주하는 6차선 도로. 그리고 회사까지 이어지는 2차선 도로. 수없이 늘어선 출근길 차량. 나 또한 그들 중 하나.

그러던 어느 날, 우연히 알게 된 다른 길.
거리상 돌아가는 길이고 비포장도로에 좁은 골목길.
마주 오는 차가 있으면 고생할 게 뻔한 길이라 출근길에는 많은 이들이 쉽사리 이용하지 않는 길.

큰 도로에서 미처 2차선 도로로 끼어들지 못하고, 한 블럭을 더 와 그 미지의 길을 이용하게 된 어느 날, 문득 깨달았다.

실제로 출근길에 반대 방향으로 나오는 차는 거의 없다는 사실.

그리고 큰 도로와 만나게 되는 합류 지점에 다다랐을 무렵, 깨달은 사실.

합류 지점까지 돌아오는 것 같지만 사실은 회사로 더 일찍 도착하는 지름길이라는 것을.

그래서 또 누군가는 이용하고 있는 길이라는 것을.

많은 이들이 다니는 깨끗하게 포장된 6차선 도로.

가장 빠르고 안전한 길이라고 생각했다.

굽이굽이 멀게 느껴지던 비포장도로.

위험할지도 모른다는, 늦을지도 모르는 낯선 길이라고 생각했다.

그 길이 지름길인 줄도 모르고.

익숙한 것에 너무 익숙해지지 말자.

편견이 더 나은 길로 가는 것을 막고 있는 것일지도 모른다.

거제도로 향하는 길

입시를 치르고, 선택했던 전공. 조선해양공학과. 그 선택이 나의 이십 대를 만들어 갈 중요한 지점이었다는 것을, 십 년으로 이어질 긴 여정의 시작이 되리라는 것을 그때는 미처 알지 못했다.

대학 시절부터 사회생활을 시작하기까지 난 참 운이 좋았다. 어떤 이는 열악한 환경이었다 할지도 모른다. 41명 동기 중, 여학우로 홀로 지냈던 그때, 힘든 점이 없었다면 거짓말이겠지만 그만큼 다름과 차이를 받아들이는 연습을 많이 할 수 있었다.

아직도 처음 과 오리엔테이션에 참석했던 날이 떠오른다. 운동장에 휘날리던 커다란 앵커가 그려진 과 깃발 뒤로 거대한 덩치에 몇몇 선배들은 농구를 하고 있었다. 온통 남자들밖에 없던 그 속에서 차마 나는 부모님께 여학생이 나뿐이라는 이야기를 전하지 못했다. 무려 한 학기가 지날 때까지. 선배들도 그랬던 모양이다. 나중에 들은 이야기지만 내가 자퇴를 안 하고 한 달을 버티는지 서로 내기를 했다고 하니 과의 군대식 문화가 어떠했을지 짐작이 가리라. 그럼에도 예상보다 대학 생활은 순탄했다. 비록 '공대생 아름이' 정도까지는 아니었으나 혼자였기 때문에 선후배들과 동기들의 배려를 더 받을 수 있었고, 그들을 통해 소심함보다는 대범함을, 작은 것에 얽매이기보다는 단순하게 생각하는 힘을 기를 수 있었다.

쉼 없이 달려 24살, 가장 가고 싶었던 회사에 취업하고, 종로

도심 한 복판에서 커리어우먼으로 주변 친구들보다 조금 빠르게 사회생활을 시작하게 되었다.

선박구조기본설계팀. 내 능력치에 비해 너무나 과분하지만, 늘 꿈꾸던 매력적인 부서에서 2년여의 세월을 보내게 되었다. 첫 출근길, 정확히 기억나진 않지만, 신입사원이 무슨 오지랖으로 팀원들의 건강을 챙기겠다며 비타민 음료를 한 아름 안고, 미소를 머금은 채 출근했었는지, 그날의 설렘을 아직도 잊지 못한다. 갑작스러운 소속팀의 지역이동으로 많은 동료들이 이직을 선택하며, 이별하게 되는 아픔을 겪기도 하고, 팀의 이동과 더불어 선박 파트에서 해양 프로젝트 파트로 부서까지 이동하게 되면서 혼란스러운 날들도 있었다. 하지만 한편으로는 조선공학도라는 자부심 때문이었을까? 야드에 만들어지던 선박들을 옥상에서 바라보던 벅찬 순간들이 아직도 생생하게 떠오른다.

교복 마냥 똑같은 유니폼들 속에서 때로는 한 달에 100시간이 넘게 야근하기도 하고, 서울 집으로 돌아가고 싶은 향수에 젖기도 했지만, 타지에서 동기들과 서로의 버팀목이 되어주며 더 끈끈해질 수 있었다. 한 날엔 바닷가에서 억수같이 내리는 빗속을 뛰어다니며 일에 지친 서로의 응어리진 스트레스를 날려버리기도 하고, 퇴근 후 조선소에 반짝이는 불빛들을 벗 삼아 기울이던 술잔들이 문득 그리워지기도 한다. 조선업에 6년 넘게 몸담으며, 나는 그렇게 치열하게 20대를 보냈다. 거제도 푸른 바다를 향해 힘차게 나아갔던 발자취 속에 그렇게 꿈과 도전과 열정은 또 다른 모습으로 하나, 둘씩 내 마음에 새겨졌다.

언제부턴가 여자들보다 남자들 사이에 있는 것이 더 편하게 느껴지는 것은 그 시절의 영향 때문일지도 모르겠다.

등굣길

10분 정도 친구들과 함께 걸으면 도착하던 길에서 한순간 바뀌어버린 삼사십 분 홀로 버스를 타고 가야 했던 길. 교복 입은 언니 오빠들과 무채색 정장을 차려입은 삼촌 이모들 틈에 끼어 오고 갔던 그 등굣길에서 열정 가득했던 꿈을 되돌아본다.

13살 처음으로 꿈을 위해 선택했던 전학. 6년 가까이 다니던 학교와 작별하고, 졸업까지 고작 한 학기를 남겨둔 시점에서 내린 그날의 결정이 익숙한 것에 익숙해지지 않으려는 내 삶의 시작점이었는지도 모른다.

육상선수, 나의 첫 꿈. 어린 꼬마의 거창한 장래 희망이었다. 올림픽에 나가 세계 최고의 100m 선수가 되겠다던 큰 포부. 지금은 웃음이 새어 나오는 추억이 되었지만, 그때의 나는 누구보다 진지했다. 부모님의 반대에도 불구하고 스카우트 제의를 와락 수락해버린 가장 순수하면서도 무모한 선택이었다.

낯선 곳으로 향했던 그 길 속에서 나는 무엇을 꿈꾸었을까?

지금 돌이켜보면 그때의 선택이 인생의 많은 부분에서 알게 모르게 영향을 끼치지 않았을까 싶다. 수업 시작 전후로 매일 반복되던 훈련, 대회가 있을 때면 저녁까지 이어지던 강도 높은 훈련, 방학이면 떠나던 전지훈련까지. 기록을 단축하기 위해 몸무게만큼 되는 무거운 타이어를 끌며 달렸던 순간, 배에 알이 배겨 웃기조차 힘든 순간에도 매일 천 개 이상의 윗몸일으키기를 해야 했던 날들, 단거리 선수지만 무슨 말인지도 모를 욕이 나올 정도의 힘든 장거리 러닝까지…

어린 나이에는 감당하기 힘든 고된 순간에도 꿈을 위해 포기하지 않으려고 인내하며 나아갔던 나날들이 있었다. 그렇게 순수했던 꿈은 비록 현실과의 괴리를 마주하며 흔들리기 시작했지만 10대 소녀의 도전은 무엇과도 바꿀 수 없는 내 인생의 한 면에 채워진 값진 경험이었다고 믿는다. 중학교 진학을 앞두고 감독들 간의 불화로 꿈꾸던 학교로 진학이 무산되며, 어린 나는 더 이상 부모님의 반대에 저항하지 못했다.

꿈나무들을 세계적인 육상선수로 양성하기에는 역부족이었던 당시 우리나라 시스템의 한계와 운동선수에 대한 편견, 타고난 신체조건에서 오는 좌절감, 세상에는 잘하는 것이 있어도 꿈을 꾸기에는 나를 뛰어넘는 수많은 경쟁자가 존재한다는 뼈아픈 현실을 받아들여야 한다는 깨달음까지. 꿈을 통해 배운 것들이다.

그중에서도 반복된 훈련은 값진 성장을 이뤄내지만, 그 뒤에는 소소한 일상과 평범함이 사무치게 그리워지기도 한다는 것을 그때의 첫 길, 나의 첫 꿈을 포기하며 알게 되었다.

세상을 살아가면서 지친 순간이 오면, 가장 맑고 순수했던 어린 시절의 꿈, 등굣길에 꿈꾸던 나로 잠시 돌아가 보면 어떨까?

평범한 일상마저 소중했던 그 시절을 떠올리며, 오늘 하루의 소중함을 기억하고자 한다.

나의 길

마흔쯤이 되면 꿈은 명확해지고, 내 삶의 무엇인가가 확고히 중심을 잡은 채 나아가고 있을 것으로 생각했었다. 하지만 내 생각과는 달리, 서른아홉, 현재도 십 대와 이십 대와 비슷한 듯 다른 흐릿한 꿈. 어디로 향해 가야 할지 길에 대해 끊임없이 고민하며, 스스로 되묻는다.

'내가 가고 있는 길이 맞는 것일까?'
'아니 가고는 있는 것일까? 멈춰 서 있는 것은 아닐까?'
'내가 간절히 가고자 하는 길, 목표, 꿈은 정말 무엇일까?'

그리고,
'난 지금 행복한가?'

늘 웃음 뒤에는 답답함과 자신에게 던지는 질문들이 공존한다. 내가 사랑하고 존경하는 남편과 소중한 딸, 그리고 나를 언제나 응원해 주는 가족들과 친구들이 있음에도 때로는 공허해지는 마음에 혼란스럽다.

수지의 "행복한 척"이라는 노래가 문득 떠오른다.

난 또 행복한 척 더 더 행복한 척
난 또 행복한 척 더 더 행복한 척
아무에게도 말하지 못한 비밀이 있어
이렇게 웃고 있지만
나를 바라보는 많은 사람들은
행복해 보이는 나를 보겠지만…

으로 이어지는 노래 가사와 멜로디… 과거와 현재의 삶을 되짚어 보는 지금, 이 순간에도 안타깝게 명확해진 것은 아무것도 없다.

단지 생각한다.

'나는 지금 행복한가?'라는 질문을 끊임없이 던지는 삶은 수용하되, 결코 '행복한 척'하는 삶은 살지 말자고. 내가 진정으로 마음의 울림을 갖고 나아갈 그 길을 찾을 때까지 여전히 숙고하고 힘든 날들이 있겠지만 포기하지는 말자고.

언제나 그랬듯이, 툴툴 털고 일어나 또 나아가자고. 그것이 익숙한 길이든, 낯선 길이든, 가고자 했던 길이든, 만들어 가는 길이든 언젠가는 어느 합류 지점에서 내가 원하는 무언가를 발견하게 될 테니까.

·2·

너의 시선 : 너의 눈에 비친 나에게

너의 언어

"민들레꽃은 죽는 게 아니고, 바람에 날아가는 씨앗들이 땅에 떨어지면 다시 꽃이 피는 거야."

왠지 모를 뭉클함과 미소를 짓게 만드는 너의 언어다.

한없이 미안해질 때가 많은 엄마는 이 순간 너의 목소리와 표현과 몸짓을 그저 바라볼 수 있는 시간이 허락됨에 감사하다. 그래서 그렇게 민들레꽃을 보면 후후 불어주고 싶었구나. 다시 꽃을 피우게 하려고. 아이의 눈으로 바라본 세상을 가끔 마주할 때면 나도 모르게 위로를 받게 되는 그런 순간이 생기곤 한다.

"눈을 뜨면 엄마가 보이면 좋겠어. 엄마 내일 아침에 나 꼭 보고 가."

"엄마랑 더 많이 보고, 더 많이 놀고 싶어요."

"오늘은 할머니 말고, 엄마가 데리러 오면 안 될까?"

"엄마 오늘은 무슨 요일이야?, 아직 토요일 되려면 멀었어?"

무심코 던지는 너의 언어 속에서 그저 꾹 눈물을 참아내야만 하는 순간들도 마주한다. 일을 한다는 것이 죄를 짓는 것이 아님에도 아이 앞에서는 한없이 작아지고 미안해지는 엄마라는 존재. 함께하는 순간 최선을 다하지만, 그 시간마저 부족한 너의 눈에 비친 엄마는 항상 바쁜 모습인 것 같아 미안한 마음을 떨쳐버릴 수 없는 그런 순간이 생기곤 한다.

엄마이지만 온전히 내가 되고 싶고, 나이지만 또 엄마로서의 삶이 분명 존재한다.

온전히 온 마음을 다해 사랑하고 싶지만, 또 온전히 나로서도 분명 살고 싶다.

엄마로서의 삶은 나 역시 처음이기에 끝없는 도전과 인내가 공존하는 쉽지 않은 길임이 틀림없다. 그럼에도 주어진 이 길을 감사히 맞이할 수 있는 이유는 단지 부모라는 책임 때문이 아니다. 천사 같은 너의 환한 웃음을 볼 수 있는 너의 지금은 온전히 "지금"이라는 시간뿐이라는 사실이 나를 한 번 더 웃게 만드는 것이다.

민서에게

웃는 미소가 나와 꼭 닮은 사랑 하는 딸아,
너로 인해 엄마는 인내하는 법을 배우고,
비로소 성숙해지는 중이야.

네가 자라나는 동안 마주하는 엄마는
때로는 부족하기도, 서툴기도 하겠지만
너를 사랑하는 마음만큼은 누구보다 크다는 것을 기억해 줬으면 좋겠구나.

이다음에 네가 더 많이 자라, 어른이 되면
그때는 우리 각자의 자리에서 서로에게 더 멋진 어른으로 만나자.

같은 날이지만 다른 날에

2023년 9월 20일, 가을향기 만연한 출근길에 부슬부슬 비가 내리고 있다.

여느 때와 다를 바 없이 바쁘게 시작하는 아침, 내리는 비에 서둘러 차에 시동을 건다.

출근길에는 항상 클래식 음악을 듣는다. 클래식 음악을 좋아해서가 아니다. 이 순간 마음의 템포에 조금이라도 여유를 더하고 싶은 작은 바람이랄까?

고속도로에 접어들었을 무렵, 전화기가 울린다.

"잘 가고 있어? 비 오는데 운전 조심하고, 그래도 힘내자. 우리. 오늘 결혼기념일인데 축하해."

덤덤한 듯 전화기 너머로 들려오는 남편의 한마디에 마음이 먹먹해진다.

잊고 있었다는 미안함과 고마움이 교차한다.

여느 때와 다를 바 없는 9월의 어느 날이었는데 이 순간 특별한 날이 되어 되새겨진다.

2014년 9월 20일, 9년 전 오늘은 날씨가 참 맑았다.

새로운 시작을 알리던 그때의 설렘. 많은 이들의 축복 속에 들리던 박수 소리와 환호, 행복한 웃음으로 가득했던 그날의 기억이 어렴풋하게 파노라마처럼 지나간다.

2014년 9월의 우리는 그렇게 서로의 반려자가 되기로 모두의 앞에 약속하며, 한 곳을 향해 나아가자고 다짐했었구나.

2023년 9월에 우리는 지금 서로에게 어떤 마음일까? 우리는 서로에게 어떤 색으로 물들어 가고 있을까?

9년이란 시간 동안 묵묵히 나의 단점들은 인내하며, 장점들은 더없이 크게 바라봐 준 유일한 존재로 곁에 있어 준 남편. 그런 존재임에도 아이를 키우느라, 서로의 일에 치여 잠깐의 진솔한 대화조차 나누기 힘든 요즘이었다.

9년의 세월 동안 마음은 더 깊어지고 단단해졌으리라. 서로에게 없어서는 안 될 존재가 되었음에도 그 마음의 작은 한 조각마저 표현하기가 뭐가 그리 힘들었을까?

오늘은 돌아가면 제일 먼저 꼭 안아주고 싶다.

"여보 항상 고맙고, 존경하고, 나를 존중해 줘서 고맙고, 그리고…사랑해."

당신을 만나
사랑하는 사람에게 표현하는 방법을 배웠고,
누군가에게 기대는 법을 배웠고,
조건 없이 사랑하는 삶을 알아 갑니다.

감사하고, 존경하고, 사랑합니다.

7월 19일, 기쁨과 슬픔이 마주한 날에

딸 셋 중 맏이인 나에겐 매력 넘치는 두 여동생이 있다. 그중 한 명은 특히 우월한 유전자의 소유자다. 나와 닮은 듯 닮지 않은 그녀는 어렸을 적 사람들이 하도 쳐다봐서 유모차 덮개로 항상 가리고 다녔다는 엄마의 이야기처럼 빼어난 미모에 큰 키, 지성미까지 갖춘 나의 사랑스러우면서도 자랑스러운 동생이다. 그리고 매년 돌아오는 7월 19일은 바로 그녀의 생일이다. 항상 축하하고 기뻐하기 그지없던 날이었다. 그 해가 되기 전까지.

2016년 한여름, 다급히 차에 누운 채로 나는 대학병원 응급실로 향하고 있었다. 그날 그곳에서 마주한 너의 심장 소리, 손짓과 발짓, 작은 움직임들이 마지막이 될 줄도 모르고.

인생을 살다 보면 때로는 마주하고 싶지 않은 아픔이 불현듯 찾아오기도 한다. 누구의 잘못도 아닌 우연으로 찾아오는 그 절망감은 그래서 우리를 한없이 더 고통스럽게 만드는지도 모르겠다. 20주가 된 배 속의 아기를 떠나보낸 일이 나에겐 그런 순간이었다. 겪지 않아도 되는 일을 겪었다는 생각, 마음 한편에 어쩌면 평생 가져가야 할 아픔일지 모를 이 이야기를 꺼내는 것이 여전히 어려운 나이지만 이제는 해보려 한다. 그때는 나를 살리려는 남편의 선택이, 더 방법을 찾아보지 못하고 결정해버린 죄책감에 나 자신이 그토록 밉고 싫어지기도 했다. 그렇게 세상의 빛을 보지 못한 아기를 16시간의 진통으로 세상과 마주하자마자 떠나보낸 날, 하염없이 눈물이 흘렀다. 그리고 그날은 하필 7월 19일이었다.

세월이 많이 흘러, 매년 찾아오는 동생의 생일날, 온전히 기쁜 마음으로 축하해 줄 수 없는 언니라서 미안해지기도 한다. 그리고 한없이 사랑스럽게 자라고 있는 민서를 볼 때면 문득문득 그날 떠나보낸 한방이가 떠오르기도 한다.

그렇게 매년 돌아오는 7월 19일은 나에게 기쁘면서도 아픈 날이 되었다.

생일 축하를 받으며 행복한 너의 눈 속에 부디 웃음 뒤에 숨겨진 나의 슬픔이 비치지 않기를 바란다.

원조 설탱, 리틀 봄탱

"언니 나는 어렸을 때도 그렇고 지금도 그렇고 원조 설미라는 말이 참 좋아. 어렸을 때 나한테 언니는 얼굴뿐만 아니라 많은 부분에서 닮고 싶은 큰 사람이었고, 지금의 위기를 극복하면 얼마나 강해질까 온 마음을 다해 응원해 주고 싶은 사람이야. 그때는 언니랑 어떤 대화를 나눌 수 있을까 너무 기대돼."

사업을 하며 어려워진 경제 상황에 보낸 동생의 메시지다.

나에게는 항상 꼬꼬마였던, 리틀 봄탱. 어려서부터 나를 원조라고 부르고 본인을 리틀이라 칭하던 귀여운 구석이 있는 막내동생은 참 애교쟁이였다. 그래서 그런지 한없이 어리게 느껴진 막내였는데 어느덧 훌쩍 서른을 넘어 정말 어른이 된 동생은 나를 마음으로 응원하는 멋진 사람이 되었다.

동생은 모를 것이다. 어렸을 적부터 하고 싶은 것이 명확했고, 그 길로 나아가고자 끊임없이 도전하고 결국에 이뤄낸 그녀의 모습이 내게는 얼마나 멋지고 빛나게 느껴졌는지.

직장생활만 하던 내가 용기를 내어 사업을 시작하게 된 계기도 동생 덕분이었다. 코로나 여파로 결국은 4년 동안 운영하던 매장을 정리하게 되었지만, 그 경험을 통해 세상을 바라보는 시야가 그 전과는 비교도 할 수 없을 정도로 달라지고 넓어졌다.

매달 받는 월급을 기준으로 생각하던 경제관념과 돈에 대한 가치는 내가 받던 월급을 훨씬 뛰어넘은 임대료를 매달 지불하는 순간, 이미 새로운 시각을 갖게 되었다. 온전히 내게 주어진 업무 내에서만 집중하고 성과를 내던 삶은 메뉴 개발, 마케팅, 고객관리, 트렌드, 우리나라의 당시 정책들과 시대 상황까지, 요식업, 그중에서도 작은 디저트 카페 운영이었지만 사업에 영향을 줄 수 있는 모든 것에 다양한 관점으로 생각하고 고민하게 했다.

다시 직장생활을 하는 지금이지만 예전과 다른 관점과 생각으로 회사생활을 하고 있는 나 자신을 발견하며 요즘, 더 느낀다. 이런 시야를 갖게 된 초석을 다질 수 있게 해준 동생의 권유에 고마움을 표하고 싶다. 한없이 부족한 점이 많은 언니를 항상 긍정의 에너지로 이끌어 주는 네가 있어 늘 든든해진다.

이제는 무엇인가를 가르쳐주기보다는 내가 더 본받고 싶은 점이 점점 더 많아지는 그녀의 눈 속에 어렸을 적 한없이 크게 느꼈던 나의 모습이, 지금은 과연 어떤 모습이 되어 비칠지 궁금해지는 밤이다.

그리고 생각한다. 누군가의 응원을 받는 오늘도 감사하게 살아야겠다고.

이설미

이제야 쓸 수 있는 이야기

발행 | 2023년 12월 18일
저자 | 때로는, 계란빵, 손다니엘, 여니, 다예, 김예성, 정다은, 김민숙, 강성욱, 이설미
펴낸이 | 이창현
디자인 | 비파디자인
펴낸곳 | 고유
출판사 등록 | 2022. 12. 12 (제2022-000324호)
주소 | 서울특별시 마포구 와우산로3길 29 2층
전화 | 070-8065-1541
이메일 | goyoopub@naver.com

ISBN | 979-11-982985-9-1 (03810)

www.goyoopub.com